中華國學經典百部

精華本

淮南子

[西汉]刘安等 著

宿磊 评译

中国书店

图书在版编目（CIP）数据

淮南子 /（西汉）刘安等著；宿磊评译 .—北京：中国书店，2023.10

（中华国学经典百部：精华本）

ISBN 978-7-5149-2963-8

Ⅰ . ①淮… Ⅱ . ①刘… ②宿… Ⅲ . ①杂家－中国－西汉时代②《淮南子》－译文 Ⅳ . ① B234.44

中国版本图书馆 CIP 数据核字（2022）第 075431 号

淮南子

〔西汉〕刘安等 著　宿磊 评译

责任编辑：陈小莉

出版发行：中国书店

地　　址：北京市西城区琉璃厂东街 115 号

邮　　编：100050

电　　话：（010）63171753（总编室）

（010）63017857（发行部）

印　　刷：三河市嘉科万达彩色印刷有限公司

开　　本：787mm × 1092mm　1/32

版　　次：2023 年 10 月第 1 版第 1 次印刷

字　　数：129 千

印　　张：6（全 300）

书　　号：ISBN 978-7-5149-2963-8

定　　价：1490.00 元（全 50 册）

前言

《淮南子》（又名《淮南鸿烈》《刘安子》），是西汉时期淮南王刘安及其门客集体创作的一部著作。该书思想驳杂，它继承了先秦时期的道家思想，同时杂糅了阴阳家、墨家、法家和一些儒家思想，但其主体属于道家和西汉初年盛行的黄老思想。刘安组织编写《淮南子》的目的，主要是反对汉武帝刘彻进行的政治改革。

刘安是刘邦的孙子、刘彻的叔叔，其父为厉王刘长。后刘长因骄纵自大而获罪。汉文帝在位时，怜悯少弟刘长，封其子嗣为侯，之后，又将刘安立为淮南王。刘安少年时酷爱文艺，文采斐然，汉武帝对其献上的《淮南子》赞许有加。但他上书并不是为了展示文辞的华丽，他的目的是劝说汉武帝延续汉初以来的以道家思想和黄老思想为基础的治国方略，然而汉武帝推行的却是外儒内法的政策。淮南王刘安的劝说让他在汉武帝时期轰轰烈烈的改革中成了历史前进车轮下的牺牲品。

《淮南子》内容丰富，尤其是它的哲学思想和政治主张。

《淮南子》哲学思想中最基本和最高的概念是“道”。“道”作为万物发生的源泉，是天地万物产生前的状态；“道”作为万物运动的总规律，制约着世间万物的运动变化。同时，《淮南子》中有着中古时期中国最成熟的宇宙演化论和万物发生论。书中认为，宇宙的演化过程包括了从混沌的道开始、道分为天地阴阳、天地阴阳生成万物这二个主要环节；同时，以宇宙演化论为依据，

《淮南子》又以阴阳气化论，对天象、四时、禽兽等自然现象的生成进行了阐释。

“无为”是先秦道家思想中一个极其重要的概念。它不仅是个人修身处世的哲学艺术，更是一种治国理念。《吕氏春秋》等书汲取先秦“无为”思想的积极方面加以发挥，提出了“因而不为”这一涵盖因势利导、进取成功等内容的新无为观。《淮南子》在承袭“因而不为”思想的同时，给“无为”增添了更多的内涵，使《淮南子》中的“无为”近似于为公之心的“大有作为”，也就是“有为”了。

《淮南子》的写作风格务实、严谨、多彩。

务实指的是，作者对所阐述的问题有深刻明晰的认识，并且能够将这些真知灼见落实在全书的写作之中。严谨指的是，该书具有匠心独运的构思和复杂绵密的结构。该书虽然出自集体的创作，内容丰富、无所不包，然而并非简单堆砌辞藻或材料，而是经过了周密的谋篇布局，所以全书主线明确，篇目井然，大多数篇目的内部逻辑结构也很清楚。多彩主要指语言表现上多姿多彩，如在表达方式上以论说体为主，兼有记叙、抒情、说明等；较为广泛地运用了比喻、拟人、对比、排比、借代、顶真、反诘、对偶、设问、夸张等各种修辞手法；同时还借助神话、传说，增强文学性；融入楚地方言，体现地域性；广泛用韵，增添韵律感。

编者在保留《淮南子》原作篇目结构的前提下，对每个篇目的内容进行了摘选，主要选择了一些主要观点和论述以及一些大家耳熟能详的故事传说，对书中因文字铺陈等修辞的重复累赘之处和化用《列子》等书时过于冗长的内容进行了缩减，以期为读者呈现一本清晰简明的《淮南子》节选本。

前言

卷一　原道训

【题解】

“道”是自然界和人类社会的总规律和宇宙万物的总根源，作者认为人们只有了解了“道”，才能顺应自然界和人类社会的变化，才能促进自身的发展。所以在全书的开篇便探索“道”的本原，并以之贯穿全书。

【原文】

泰古二皇①，得道之柄，立于中央；神与化游，以抚四方。是故能天运地滞②，轮转而无废；水流而不止，与万物终始。风兴云蒸，事无不应；雷声雨降，并应无穷。鬼出电入，龙兴鸾集；钧旋毂转，周而复匝③。已雕已琢，还反于朴。无为为之，而合于道；无为言之，而通乎德；恬愉无矜，而得于和；有万不同，而便于性④。神托于秋毫之末，而大与宇宙之总。其德优天地而和阴阳，节四时而调五行；呴谕⑤覆育，万物群生；润于草木，浸于金石；禽兽硕大，豪毛润泽；羽翼奋也，角觡⑥生也；兽胎不𧖣，鸟卵不毈⑦。父无丧子之忧，兄无哭弟之哀；童子不孤，妇人不孀；虹霓不出，贼星⑧不行，含德之所致。

【注释】

①泰古：上古，远古。泰，同“太”，最。二皇：原注：“二皇，伏羲、神农也。”

②天运地滞：天体运行，大地静止。古人认为日月星辰等天体均围绕地球运动。

③钧：制作陶器所用的转轮。毂（gǔ）：车轮中心的圆木，外沿与车辐相接，中有插轴的圆孔。匝（zā）：同“周”，环绕。

④有：包容。便：顺应。性：个性，天性。

⑤呴（xǔ）谕：通“煦妪”，抚育，培养。

⑥角觡（gé）：鹿角。

⑦殰（dú）：鸟兽未出生而死于胎中。毈（duàn）：卵孵不成鸟。

⑧虹霓：通“虹蜺”，彩虹和副虹，常与彗星并称，指异常的天象。贼星：陨星、彗星等异常的星。

【译文】

远古时候，伏羲和神农两位圣王，掌握了“道”的根本，挺立在天地中央；精神与自然界相融合，用以安抚天下四方。所以使得天体正常运行，大地静止不动，如车轮一般转动不止；如水一般流动不停，和万事万物共同始终。就像风起云涌、雷鸣雨降一样，万事万物无不相互感应；又像鬼神出没、电光石火一样，无影无踪、稍纵即逝，像神龙出现、鸾凤飞临；还像钧器和车毂旋转般，周而复始。虽已经被精雕细刻，但仍然保持质朴的状态。顺其自然的行为，能与“道”契合；朴实无华的言语，会与“德”相通；恬淡安适、不骄不躁，而达到和谐的状态；包容万物的差异，来顺应各自的天性。精神既能依托在秋毫末梢一般的细微之处，又能放大到整个宇宙。他们的德行让天地柔顺、使阴阳调和；让四季有节、使五行有序；他们抚育培养，让万物繁衍生长；又滋润草木，浸润金石。飞禽走兽壮硕高大，羽毛滋润光亮；鸟翅坚强有力，兽角生长成形；走兽怀胎不堕，飞禽孵卵成鸟。父亲没有丧子的忧伤，兄长不见失弟的哀痛；孩童不丧父，妻子不丧夫；霓虹不出现，妖星不运行，这一切皆因两位圣王胸怀德行、泽被天下所致。

【原文】

昔者冯夷、大丙[1]之御也，乘云车，入云霓[2]；游微雾，骛怳忽[3]；历远弥高以极往，经霜雪而无迹，照日光而无景；扶摇抮抱羊角[4]而上，经纪山川，蹈腾昆仑；排阊阖[5]，沦天门。末世之御，虽有轻车良马，劲策利錣[6]，不能与之争先。

【注释】

①冯夷、大丙：神话中驾驭阴阳的神。

②乘云车，入云霓：《太平御览》卷十四《天部》十四引此作“乘雷车，驾云虹”；《文选·〈七发〉》李善注引《淮南子》作“六云霓”。

③骛：驰骋。怳（huǎng）忽：虚无荒远之地。

④扶摇：盘旋直上的旋风。抮（zhěn）抱：旋转缠绕。羊角：转曲萦行的旋风。

⑤阊阖（chāng hé）：升天之门

⑥錣（zhuì）：马鞭末端的尖刺。

【译文】

从前，冯夷、大丙驾驭，乘坐雷公的车，用六条彩虹作马；在微茫的云雾中遨游，在虚无荒远的境界里驰骋；穿过高远之处，直达极点，行经霜雪不会留下痕迹，阳光照射而没有影子；好比旋风扶摇直上，形似羊角，越过高山大川，一跃而上昆仑之巅；冲开天门，直入天宫。后世的车夫，即使拥有轻便的车辆、上等的好马、强劲的皮鞭、锐利的鞭刺，也不能与冯夷、大丙一争高下。

【原文】

是故大丈夫恬然无思，澹然无虑；以天为盖，以地为舆；四时为马，阴阳为御；乘云陵霄，与造化者俱；纵志舒节，以驰大区[1]；可以步而步，可以骤而骤；令雨师洒道，使风伯扫尘；电以为鞭策，雷以为车轮；上游于霄雿[2]之野，下出于无垠之门；刘览偏照，复守以全；经营[3]四隅，还反于枢。故以天为盖，则无不覆也；以地为舆，则无不载也；四时为马，则无不使也；阴阳为御，则无不备也。是故疾而不摇，远而不劳；四支[4]不动，聪明不损，而知八纮九野之形埒[5]者，何也？执道要之柄，而游于无穷之地。

【注释】

①大区：天地之间。

②霄雿（zhào）：虚无幽深。

③经营：周游往来。

④支：同“肢”。

⑤八纮（hóng）：指九州大地之外极远之处。九野：天区的九个部分。形埒（liè）：界限。

【译文】

所以修道的人恬静淡泊，无忧无虑；他们用天空作车盖，用大地作车厢；拿四季当马匹，把阴阳当车夫；乘云驾雾，直上九霄，与自然同行；放开思绪，随心而动，在天地间驰骋；想踱步就踱步，想疾行就疾行；喝令雨师洒水洗路，呼唤风伯打扫灰尘；用闪电作鞭子，拿风雷当车轮；向上就遨游在幽远之处，往下就穿越无边的大门；虽然俯察观照万事万物，却又守得住纯真；虽然周游往来于四面八方，却又始终不离根本。因此，用天空作车盖，就没有什么不被覆盖；用大地作车厢，就没有什么不能装下；拿四季当马匹，就没有什么不能驱动；把阴阳当车夫，就没有什么不完备的。所以，疾行而不摇摆，远游却不疲劳；四肢不感到劳累，耳目也不受到损伤，而又了解八纮九野的疆界，这是什么原因呢？原来是掌握了“道”的根本，进而畅游于无疆的境界。

【原文】

是故天下之事不可为也，因其自然而推之；万物之变，不可究也，秉其要归之趣[1]。夫镜水之与形接也，不设智故[2]，而方圆曲直弗能逃也。是故响不肆[3]应，而景不一设；叫呼仿佛[4]，默然自得。

【注释】

①要归：发展。趣：通“趋”，方向。

②智故：巧饰，伪诈。

③响：回音。肆：刻意。

④叫呼：回声。仿佛：影子晃动。

【译文】

所以说天下的事情都不能刻意而为，只能因势利导，顺其自然；万物的变化，也不能刻意深究，只能把握它的发展趋势。镜面和水面反映事物的形状，没有设置任何巧妙的机关，然而方圆曲直都逃不出它们的法眼。因此，回音不是声音刻意的回应，影子也不是物体有意的安排；回声呼应、影子晃动，都是在不知不觉中自然形成的。

【原文】

昔者夏鲧[1]作三仞之城，诸侯背之，海外有狡心。禹知天下之叛也，乃坏城平池，散财物，焚甲兵，施之以德，海外宾服，四夷纳职。合诸侯于涂山，执玉帛者万国。故机械之心藏于胸中，则纯白不粹，神德不全，在身者不知，何远之所能怀！是故革坚则兵利，城成则冲[2]生，若以汤沃沸，乱乃逾甚。是故鞭噬狗，策蹄马[3]，而欲教之，虽伊尹、造父④弗能化。欲宍⑤之心亡于中，则饥虎可尾，何况狗马之类乎！

【注释】

①夏鲧（gǔn）：传说中大禹的父亲。

②冲：也叫“对楼”，即以冲撞的力量破坏城墙或城门的攻城利器，是古代的一种攻城器械。

③噬（shì）：咬。蹄马：踢人的马。

④伊尹、造父：古代善御之人。

⑤宍（ròu）：肉的异体字，这里表残杀。

【译文】

从前，夏鲧建九仞高的城墙来防止叛乱，诸侯仍然背弃了他，海外各国也生出狡诈之心。大禹知道了天下的叛乱，于是拆除城墙，填平护城河，分发财物，烧毁盔甲和兵器，将恩德施行于人们，于是海外各国臣服，四方外族纳贡。他在涂山召集诸侯大会，成千上万的国家拿着玉器绢帛赶来。可见，如果胸中藏有奸诈之心，那么纯白的“道”便不纯粹了，神圣的德也不完美了，身边的人都不能推心置腹，又怎么能怀柔教化远方的人呢！所以，皮革盔甲坚硬，兵器就会锋利，城墙一旦高筑，冲车也会产生，如果把滚水浇淋到沸水中，沸腾得只会更厉害。因此，用皮鞭打咬人的狗、踢人的马，想以此调教它们，那么即使是伊尹、造父也不能达到驯化的目的。心中没有害人之心，尾随饿虎都可以，更何况只是对付狗、马一类的动物呢！

【原文】

昔舜耕于历山，期年而田者争垸堉①，以封壤肥饶相让；钓于河滨，期年而渔者争处湍濑②，以曲隈③深潭相予。当此之时，口不设言，手不指麾④，执玄德于心，而化驰若神。使舜无其志，虽口辩而户说之，不能化一人。是故不道之道，莽乎大哉！夫能理三苗，朝羽民，从裸国，纳肃慎⑤，未发号施令，而移风易俗者，其唯心行者乎！法度刑罚，何足以致之也？

【注释】

①垅埆（qiāo què）：土地贫瘠。

②湍濑：水流浅急之处，少鱼。

③曲隈（wēi）：水湾，多鱼。

④指麾：即指挥。麾，古代指挥用的旗子。

⑤肃慎：中国古代的一个民族。

【译文】

从前，舜在历山耕种，一年以后，农民争着去耕种贫瘠的土地，相互谦让肥沃的土地；舜在河边钓鱼，一年以后，渔民争着去水流浅急之处捕鱼，相互赠予水湾深潭。在那个时候，舜没有喋喋不休，也没有指手画脚，他只是在心中秉持着无为之道，就能迅速如神地教化万民。假使舜没有这样的心志，即使能言善辩地挨家挨户去劝说，也不能感化一个人。所以，不说出来的“道”是多么广大无边啊！舜能治理三苗之乱，让羽民国来朝拜，让裸国归顺，接纳肃慎人，还没有发号施令，就已经移风易俗了，这大概凭借的就是无为而治的信念吧！仅凭法规刑罚，又怎么能够达到这种效果呢？

【原文】

是故圣人内修其本，而不外饰其末；保其精神，偃其智故；漠然无为而无不为也，澹然无治也而无不治也。所谓无为者，不先物为也；所谓不为者，因物之所为。所谓无治者，不易自然也；所谓无不治者，因物之相然[①]也。万物有所生，而独知守其根；百事有所出，而独知守其门。故穷无穷，极无极，照物而不眩[②]，响应而不乏，此之谓天解[③]。

【注释】

①然：宜。

②眩：祸乱。

③天解：知晓天然。

【译文】

所以，圣人对内修养自己的本性，而不是在外修饰自己的细枝末节；他们保存自己的精神，平息内心的机巧；淡漠地顺其自然而没有办不到的事，安逸地不刻意而为而又没有什么不能治理好。所谓顺其自然，就是不超越事物的本性去做事；所谓没有什么办不到的事，就是按照事物的本性去做事；所谓不刻意而为，就是不改变事物的本性；所谓没有什么不能治理好，就是根据各个事物的本性，让它们相得益彰。万物都有各自产生的要素，然而圣人只要知道守住根本就行了；万事都有各自发生的原因，然而圣人只要知道守住关键就好了。因此，圣人能够穷尽无穷之事，极尽无极之处，观照万物而不迷惑，应和万物而不疲乏，这就是所谓懂得了天意。

卷二　俶真训

【题解】

俶是起始的意思，真是现实的意思，所谓俶真训讲的便是宇宙起源的问题。本训阐述的万物起源论和现实世界发展阶段论，把宇宙的发展变化归结为物质世界的发展变化，体现了朴素唯物主义思想；同时，认为人类社会的发展过程是一个纯朴逐渐消失、道德逐步沦丧的过程，只有返璞归真，才能返回俶真的美好状态。

【原文】

夫鱼相忘于江湖，人相忘于道术[①]。

【注释】

①"夫鱼"二句：典出《庄子·大宗师》，意思是鱼儿同处于江海之中就会自由自在而无须相互照应，人如果能与"道"同在，彼此之间也不必多事。

【译文】

鱼类生活在江海之中可以互相遗忘，人如果能在道术上得志，彼此之间也无须交往。

【原文】

古之真人，立于天地之本，中至[①]优游，抱德炀[②]和，而万物杂累[③]焉，孰肯解构[④]人间之事、以物烦其性命乎？

【注释】

①中至：中和之气和至高之德。

②炀（yáng）：烤，这里指熏陶。

③杂累：据王念孙说，为积累之义。

④解构：即“邂逅”，不期而遇。

【译文】

古时候真人立足于天地的根本，秉承着中和之气和至高之德，优哉游哉，怀抱至高之德，受中和之气熏陶，而万物得以积累，谁又会去干预人间的事情，而让外物扰乱自己的生命呢？

【原文】

至德之世，甘瞑于溷涃[1]之域，而徙倚于汗漫[2]之宇，提挈天地而委万物，以鸿濛为景柱[3]，而浮杨乎无畛[4]崖之际。是故圣人呼吸阴阳之气，而群生莫不颙颙[5]然仰其德以和顺。当此之时，莫之领理决离，隐密而自成。浑浑苍苍，纯朴未散，旁薄为一，而万物大优。是故虽有羿之知而无所用之。

【注释】

①甘瞑：即“酣眠”。溷涃（hùn xián）：无边无际的样子。

②汗漫：无边无际。

③鸿濛：日出处。景柱：即影表，测日影用的圭表。

④浮杨：翱翔。畛（zhěn）：界限。

⑤颙（yóng）颙：通“喁喁”，仰慕的样子。

【译文】

在道德最纯洁的时代，人们在无边无际混沌迷蒙的世界里酣睡，在浩瀚渺茫的境界中遨游，掌握天地运行却舍弃万事万物，以日出处为圭表，飘浮在无边之处。所以，圣人只要吞吐阴阳二气，众生就会仰慕圣人的道德而来归附。在那个时候，没有人刻意去治理，万事万物都默默地自然生成。混混沌沌的样子没有形态，纯粹质朴的道德没有消散，磅礴大气聚合为一，同时万物优哉游哉。因此，即使有后羿的智慧也没有用武之地。

【原文】

及世之衰也，至伏羲氏，其道昧昧芒芒然，吟德怀和，被施颇烈，而知乃始昧昧晽晽[①]，皆欲离其童蒙之心，而觉视于天地之间，是故其德烦而不能一。乃至神农、黄帝，剖判大宗，窍领天地，袭九窾[②]，重九埶[③]，提挈阴阳，嫥捖[④]刚柔，枝解叶贯，万物百族，使各有经纪条贯。于此万民睢睢盱盱[⑤]然，莫不竦身而载听视，是故治而不能和。下栖迟至于昆吾、夏后之世，嗜欲连于物，聪明诱于外，而性命失其得。

【注释】

①晽晽（lín lín）：据王念孙说，“晽”当作“楙”（mào），通“懋”，欲有所知的样子。

②袭：遵循。窾（kuǎn）：法则。

③埶（yín）：同“垠”。

④嫥（tuān）捖（wán）：调和。嫥，同“抟”。捖，刮磨，抟弄。

⑤睢睢盱盱（huīhuī xūxū）：张目直视的样子。

【译文】

到了世道衰落，伏羲氏当政的时候，治理天下的“道”仍然是浑厚茫然的，蕴含深厚的道德与中和之气，广布德泽，极为宽泛，但是人们的智慧开始萌发，渐有所知，逐渐失去孩童懵懂的心性，开始观察天地万物，所以伏羲氏的治理之术烦多而不专一。等到神农、黄帝的时候，他们分离“道”的根本，贯通天地，遵循自然，掌握阴阳，调和刚柔，仔细分解又紧密连贯万事万物，各具条理。这样，百姓张目直视，没有人不对君王踮脚仰视，聆听教诲，察言观色。所以，这样虽能治理天下，却不能达到和谐。后来慢慢到了昆吾、夏后的时代，人们的嗜好欲望被外物干扰，视觉听觉被外界引诱，从而失去了天性和依赖天性存在的道德。

【原文】

施①及周室之衰，浇淳散朴，杂道以伪，俭德以行，而巧故萌生。周室衰而王道废，儒、墨乃始列道而议，分徒而讼。于是博学以疑圣，华诬以胁众，弦歌鼓舞，缘饰《诗》《书》，以买名誉于天下。繁登降之礼，饰绂②冕之服，聚众不足以极其变，积财不足以赡其费。于是万民乃始惏觟③离跂，各欲行其知伪，以求凿枘④于世而错择名利。是故百姓曼衍于淫荒之陂⑤，而失其大宗之本。夫世之所以丧性命，有衰⑥渐以然，所由来者久矣。

【注释】

①施（yì）：延续。

②绂（fú）：古代系官印的绳子。

③惏（mán）：通“颟”，不明事理。觟：通“觿（xié）”，背离。

④凿枘（ruì）：榫卯和榫头，二者必须契合，这里比喻迎合。

⑤曼衍：连绵，这里指追求。陂（bēi）：山坡，指邪道。

⑥衰（cuī）：按等级递减。

【译文】

到了周王室衰微的时候，淳朴之风被冲淡消散了，离经叛道，狡诈产生。周王室衰微使王道废弛，儒家、墨家也开始标榜自己的学说，招收门徒，妄论是非。于是各家各派靠着博学多识妄自比附圣人，实际上只是用花言巧语欺骗民众。他们施行礼乐歌舞，拿《诗》《书》装点门面，沽名钓誉于天下。同时，他们还施行繁文缛节，装饰绂冕礼服，强调等级森严，征民夫以大兴土木，敛财富以奢侈挥霍。从这时开始，百姓开始稀里糊涂，不明事理，却又自以为高明，施展技巧，玩弄手段，逢迎媚俗，捞取名利。所以，人们从此奔波于歪门邪道，丧失了“道”的根本。世人之所以丧失天性，逐渐堕落，道德衰微，那是由来已久啊。

【原文】

故古之治天下也，必达乎性命之情；其举错未必同也，其合于道一也。夫夏日之不被裘者，非爱之也，燠[①]有余于身也。冬日之不用翣[②]者，非简之也，清有余于适也。夫圣人量腹而食，度形而衣，节于己而已，贪污[③]之心，奚由生哉？故能有天下者，必无以天下为也；能有名誉者，必无以趋行求者也。圣人有所于达，达则嗜欲之心外矣。孔、墨之弟子，皆以仁义之术教导于世，然而不免于儡[④]，身犹不能行也，又况所教乎？是何则？其道外也。夫以末求返于本，许由不能行也，又况齐民乎？诚达于性命之情，而仁义固附矣，趋舍何足以滑[⑤]心？

【注释】

①燠（yù）：暖，热。

②翣（shà）：扇子。

③贪污：贪婪低下。

④儡：通“羸”，疲惫。

⑤滑：通“汩”，乱。

【译文】

因此古人治理天下，一定通达于性命的情理；他们的治国举措不一定相同，但都统一于大道。人们夏天不穿皮衣，不是因为爱惜它，而是因为身体已经够热了。冬天不用扇子，并不是因为它低贱，而是寒冷已经超过舒适的程度了。圣人估计自己的饭量吃饭，度量自己的体型穿衣，限制自己的物欲，这样又哪会产生贪婪之心呢？所以，能够拥有天下的人，一定不是以天下为追求的目标；能享有名誉的人，一定不是靠奔波追逐得到的。圣人能够与“道”相通，所以嗜欲之心被排斥在外。孔子、墨子的弟子们用仁义来教导世人，却也免不了失败，他们自身都不能做到仁义，更何况被教导的人呢？这是为什么？因为他们的学说只注重外物的末节。用细枝末节去寻求根本，就是许由也办不到，何况平民百姓呢？如果真能通达性命之情，那么仁义自然会依附，举止行为哪能扰乱了人心呢？

【原文】

逮至夏桀、殷纣，燔①生人，辜②谏者，为炮烙，铸金柱，剖贤人之心，析才士之胫，醢鬼侯③之女，菹梅伯④之骸。当此之时，峣山崩，三川涸，飞鸟铩翼，走兽挤脚。当此之间，岂独无圣人哉？然而不能通其道者，不遇其世。夫鸟飞千仞之上，兽走丛薄之中，祸犹及之，又况编户齐民乎？由此观之，体道者不专在于我，亦有系于世者矣。

【注释】

①燔（fán）：烧。

②辜：一种分裂肢体的刑罚。

③醢（hǎi）：把人剁成肉酱。鬼侯：纣王时的诸侯。

④菹（zū）：切碎。梅伯：商纣王时的诸侯。

【译文】

到了夏桀、商纣王时，火烧活人，肢裂谏臣，建造炮烙，铸成铜柱，挖出贤人的心脏，割掉才士的腿骨，将鬼侯奉献的女儿剁成肉酱，把梅伯的骨骸砍成碎尸。那时峣山崩塌，泾水、渭水和汧水干枯，飞禽走兽被残杀。那时难道没有圣人吗？只是这些圣贤没有碰上好世道来实现理想。鸟飞到千仞高的天空，走兽在草丛奔走，灾祸还会降临，又何况被管理得很严的平民百姓呢？由此看来，体察大道的人的理想能否实现不完全取决于他本人，还和所处的世道好坏有关。

【原文】

夫历阳之都，一夕反而为湖[①]，勇力圣知与罢怯不肖者同命；巫山之上，顺风纵火，膏夏、紫芝与萧、艾[②]俱死。故河鱼不得明目，稚稼不得育时，其所生者然也。故世治则愚者不得独乱，世乱则智者不能独治。身蹈于浊世之中，而责道之不行也，是犹两[③]绊骐骥，而求其致千里也。置猿槛中，则与豚同，非不巧捷也，无所肆其能也。舜之耕陶[④]也，不能利其里；南面王，则德施乎四海。仁非能益也，处便而势利也。

【注释】

①“夫历阳”二句：古代传说历阳在一夜之间由陆地变成大湖。历阳，县名，在今安徽境内。

②膏夏：大木的名字。紫芝：疑为今灵芝。萧、艾：两种杂草。

③两：双。

④陶：制作陶器。

【译文】

那历阳城，一夜之间变回了湖泊，勇士、智者与胆小鬼和愚人一起葬身湖底；在巫山上顺着风向放火，山上的大树、药草和杂草一同被烧毁。所以黄河里的鱼眼睛无法明亮，嫩苗无法繁育后代，这都是由它们的生长条件决定的。因此，清明的世道不会被一个奸愚之徒破坏；浑浊的世道不能仅靠聪明人就治理得好。身处肮脏的世道，而责备大道不能通行，这就像把千里马的四腿捆起来，又要它日行千里。猿猴被关在笼子里，就会像只笨猪一样，其实不是它不灵巧，而是它无法施展才能。虞舜还是农夫、陶匠的时候，还不能造福于乡邻；但当他接受了尧的禅让当上王以后，就能在四海之内广布德泽。仁爱并没有增加，只是所处的地位便于实施仁义罢了。

【原文】

古之圣人，其和愉宁静，性也；其志得道行，命也。是故性遭命而后能行，命得性而后能明。乌号之弓，溪子[①]之弩，不能无弦而射；越舲[②]蜀艇，不能无水而浮。今矰缴机[③]而在上，网罟[④]张而在下，虽欲翱翔，其势焉得！故《诗》云："采采卷耳，不盈倾筐。嗟我怀人，寘彼周行[⑤]。"以言慕远世也。

【注释】

①溪子：特产弓弩的国名。

②舲（líng）：小船。

③机：发射。

④网罟（gǔ）：捕鱼及捕鸟兽的工具网。

⑤"采采"四句：引《诗》见《诗经·周南·卷耳》，一般认为此诗表达妇女对丈夫的思念。寘（zhì）：放置。周行：大路。

【译文】

古代圣人的和愉宁静，是天性如此；但他的志向能否实现却取决于他的时运。因此，天性碰上了好的时运才能实施，好的时运也必须要具有宁静天性的人才能清晰地阐明。好比乌号弓、溪子弩需要有弦才能发射；也就像越国的小船和蜀地的小艇，不能没有水就漂浮一样。如果带有丝绳的利箭在空中乱射，罗网在大地川泽四处乱撒，鸟兽尽管想飞翔奔走，但这种险恶的环境又怎能允许呢！所以《诗经》唱道："采着卷耳，采来采去不满一箩筐。怀念远方的人，就把箩筐放在大路旁。"这是在思慕远古的好世道啊！

卷三　天文训

【题解】

文者，象也。本训主要通过天文现象探讨了宇宙的本原、演化和形成问题，是《淮南子》中的自然天道观。同时，尽管文中数据并不真实，但本训仍包含了大量汉代的科学技术成果，具有重要的史料价值。

【原文】

天有九野，九千九百九十九隅，去地五亿万里。五星①，八风②，二十八宿③，五官④，六府⑤，紫宫、太微、轩辕、咸池、四守、天阿⑥。

【注释】

①五星：岁星（木星）、荧惑（火星一）、镇星（土星）、太白（金星）、辰星（水星）。

②八风：不同季节来自八方的风，指条风、明庶风、清明风、景风、凉风、阊阖风、不周风、广莫风。

③二十八宿：古人为了比较日、月、五星的运动，将黄道附近的恒星分成二十八个星座，作为观测时的标志。宿：停留，即日、月等运行中停留的星区。

④五官：指田、司马、理、司空、都。

⑤六府：指子午、丑未、寅申、卯酉、辰戌、巳亥。

⑥紫宫、太微、轩辕、咸池、四守、天阿：星名。

【译文】

上天分为九个大区，九千九百九十九个小区，离大地五亿万里。天上有五星、八风、二十八宿、五官、六府，还有紫宫、太微、轩辕、咸池、四守和天阿等星辰。

【原文】

何谓九野？中央曰钧天，其星角、亢、氐[①]。东方曰苍天，其星房、心、尾[②]。东北曰变天，其星箕、斗、牵牛[③]。北方曰玄天，其星须女、虚、危、营室[④]。西北方曰幽天，其星东壁、奎、娄[⑤]。西方曰昊天，其星胃、昴、毕[⑥]。西南方曰朱天，其星觜巂、参、东井[⑦]。南方曰炎天，其星舆鬼、柳、七星[⑧]。东南方曰阳天，其星张、翼、轸[⑨]。

【注释】

①角、亢、氐：属东方七宿。

②房、心、尾：属东方七宿。

③箕、斗、牵牛：属北方七宿。

④须女、虚、危、营室：属北方七宿。

⑤东壁：属北方七宿。奎、娄：属西方七宿。

⑥胃、昴、毕：属西方七宿。

⑦觜巂（zī xī）、参：属西方七宿。东井：属南方七宿。

⑧舆鬼、柳、七星：属南方七宿。

⑨张、翼、轸：属南方七宿。

【译文】

什么叫九大天区？中央区域叫钧天，分布着角、亢、氐三宿。东方区域叫苍天，分布着房、心、尾三宿。东北区域叫变天，分布着箕、斗、牵牛三宿。北方区域叫玄天，分布着须女、虚、危、营室四宿。西北区域叫幽天，分布着东壁、奎、娄三宿。西方区域叫昊天，分布着胃、昴、毕三宿。西南区域叫朱天，分布着觜巂、参、东井三宿。南方区域叫炎天，分布着舆鬼、柳、七星三宿。东南区域叫阳天，分布着张、翼、轸三宿。

【原文】

何谓五星？东方木[①]也，其帝太皞[②]，其佐句芒，执规而治春，其神为岁星，其兽苍龙，其音角[③]，其日甲乙[④]。南方火也，其帝炎帝，其佐朱明[⑤]，执衡而治夏，其神为荧惑，其兽朱鸟，其音徵，其日丙丁。中央土也，其帝黄帝，其佐后土，执绳而制四方，其神为镇星，其兽黄龙，其音宫，其日戊己。西方金也，其帝少昊，其佐蓐收[⑥]，执矩而治秋。其神为太白，其兽白虎，其音商，其日庚辛。北方水也，其帝颛顼，其佐玄冥[⑦]，执权而治冬。其神为辰星，其兽玄武，其音羽，其日壬癸。

【注释】

①木：和下面的火、土、金、水为五行，五行分别配东、南、中、西、北五方。

②太皞（hào）：即伏羲氏。

③其音角：此处将五音分别与五行、五方相配，宫配土和中央，商配金和西方，角配木和东方，徵配火和南方，羽配水和北方。

④日甲乙：古人用天干纪日，此处又将甲乙、丙丁、戊己、庚辛、壬癸与五行和五方相配。

⑤朱明：即火官祝融。

⑥蓐（rù）收：相传为少昊氏裔子，为金神。

⑦玄冥：相传为少昊氏之子，为水神。

【译文】

什么是五星？东方是木星，它的天帝是太皞，辅佐大臣是句芒，句芒执规尺管理春季，东方的守护神是岁星，它的神兽是苍龙，它的音符是角，日干用甲乙。南方是火星，它的天帝是炎帝，辅佐大臣是朱明，朱明持衡器管理夏季，南方的守护神是荧惑，它的神兽是朱鸟，它的音符是徵，日干用丙丁。中央是土星，它的天帝是黄帝，辅佐大臣是后土，后土掌握绳墨治理四方，中央的守护神是镇星，它的神兽是黄龙，它的音符是宫，日干用戊己。西方是金星，它的天帝是少昊，辅佐大臣是蓐收，蓐收执掌矩尺管理秋季，西方的守护神是太白，它的神兽是白虎，它的音符是商，日干用庚辛。北方是水星，它的天帝是颛顼，辅佐大臣是玄冥，玄冥掌握权器治理冬季，北方的守护神是辰星，它的神兽是玄武，它的音符是羽，日干用壬癸。

【原文】

太阴在四仲①，则岁星行三宿②。太阴在四钩，则岁星行二宿③。二八十六，三四十二，故十二岁而行二十八宿④。日（月）行十二分度之一，岁行三十度十六分度之七，十二岁而周⑤。荧惑常以十月入太微，受制而出行列宿⑥，司无道之国，为乱、为贼、为疾、为丧、为饥、为兵，出入无常，辨变其色，时见时匿⑦。镇星以甲寅元始建斗⑧，岁镇行一宿。当居而弗居，其国亡土。未当居而居之，其国益地、岁熟。日行二十八分度之一，岁行十三度百一十二分度之五，二十八岁而周。太白元始，以正月建寅与荧惑晨出东方，二百四十日而入，入百二十日而夕出西方，二百四十日而入，入三十五日而复出东方。出以辰戌，入以丑未。当出而不出，未当入而入，天下偃兵；当入而不入，当出而不出，天下兴兵。辰星正四时，常以二月春分效奎、娄，以五月夏至效东井、舆鬼，以八月秋分效角、亢，以十一月冬至效斗、牵牛。出以辰戌，入以丑未，出二旬而入。晨候之东方，夕候之西方。一时不出，其时不和；四时不出，天下大饥。

【注释】

①太阴：又称"岁阴""太岁"，是古代天文学假设的和岁星相应的星名。古人观测岁星（木星）约十二年运行一周天，将周天又分为十二分，称十二次，岁星每年行经一次，就用所在星次纪年。另外还有十二辰的划分，用十二地支来命名，计算的方向和岁星运行的方向相反，即自东向西。古人又设想有个天体，它的运行速度也是十二年一周天，但运行方向是循十二辰的方向。这个假想天体就被称为"太岁"。当岁星和太岁的初始位置关系规定后，就可以从岁星的位置推出太岁所在的辰位，这样就能用十二辰的顺序来纪年。四仲：十二辰的卯、酉、子、午四辰所代表的天区，分别处在正东、正西、正北、正南，因为是居中部位，所以叫"四仲"。仲，中。

②岁星行三宿：指太阴在子、午、卯、酉四辰时，岁星在每辰（次）行经二十八宿中的三星宿。具体来说，太岁在卯，岁星经须女、虚、危三宿；在午，岁星经胃、昴、毕；在酉，岁星经柳、七星、张；在子，岁星经氐、房、心。

③"太阴"二句：四钩即四角，和四仲相对。四仲以外的八辰按其部位分成四区：东北角丑寅，东南角辰巳，西南角未申，西北角戌亥。具体来讲，太岁在寅，岁星经斗、牵牛；在辰，岁星经营室、东壁；在巳，岁星经奎、娄；在未，岁星经觜巂、参。

④"二八"三句：2（宿）乘以四钩所含8（辰）等于16宿，计用8年。3（宿）乘以四仲所含4（辰）等于12宿，计用4年。这样共用12年（实际上是11.86年）走完二十八宿，即一周天。

⑤"日月行"三句：一周天定为$365\frac{1}{4}$度，岁星每天运行$\frac{1}{12}$度，每年行$\frac{1}{12}$乘以$365\frac{1}{4}$等于$30\frac{7}{16}$度，十二年正好行$365\frac{1}{4}$度。所以"十二岁而周"。周，走完一周。

⑥"荧惑"二句：古人以紫微、太微、天市"三垣"作为它们所在天区的主体，太微是三垣之一，又是天帝的南宫，荧惑火神经太微垣时受命出巡。受制，受命。行，巡查。列宿，众星。

⑦"出入"三句：这是对火星运行特点的描述。辨，辨别。

⑧镇星：土星二十八年一周天。每年经过一宿，好像逐年镇巡二十八宿，故称。甲寅元始：以甲寅年作为纪年的开始。建斗：镇星运行始于斗宿。

【译文】

太阴在“四仲”时，岁星行经每一“仲”的三宿。太阴在“四钩”时，岁星行经每一辰的二宿。二八一十六，三四一十二，所以十二年走完二十八宿。岁星每天运行是$\frac{1}{12}$度，一年运行$30\frac{7}{16}$度，十二年环绕一周天$365\frac{1}{4}$度。荧惑星通常在十月进入太微垣，受天帝命令出巡众星，监察无道的国家，使之出现动乱、灾害、疾疫、丧亡、饥荒和战争，荧惑星的出入没有常规，不停地变换亮度和颜色，时而出现，时而隐匿。镇星在甲寅年正月从斗宿位置开始运行，每年巡行一宿。如果它应该处在某一星宿的时候却没有在那儿，这一星宿所分野的国家就要丧失领土。如果不该处在某一星宿的时候却出现在那里，这一星宿所分野的国家就会扩大领土、粮食丰收。镇星一天运行$\frac{1}{28}$度，一年运行$13\frac{5}{112}$度，二十八年环绕一周天。太白金星在甲寅年正月和营室宿一起在早晨出现在东方，经过二百四十天后消失，消失一百二十天后又在傍晚出现在西方，二百四十天后又消失，消失三十五天后再出现在东方。它出现时在辰位或戌位，消失时在丑位或未位。如果它应该出现却没有出现，不该消失却消失了，则天下兵戈止息；如果它应该消失却没有消失，不该出现却出现了，则天下战事纷纷。辰星的运行能判定一年的四季。它通常在二月春分时出现在奎、娄二宿，五月夏至时出现在东井、舆鬼二宿，八月秋分时出现在角、亢二宿，十一月冬至时出现在斗、牵牛二宿。它出现时是在辰、戌二辰的方位，消失时在丑、未方位，出现二十天后就消失了。清晨候望在东方，傍晚候望在西方。哪一季它没按时出现，这一季就不调和；如果它四季都没出现，天下就要发生饥荒了。

【原文】

何谓八风[①]？距日冬至四十五日，条风至；条风至四十五日，明庶风至；明庶风至四十五日，清明风至；清明风至四十五日，景风至；景风至四十五日，凉风至；凉风至四十五日，阊阖风至；阊阖至四十五日，不周风至；不周风至四十五日，广莫风至。条风至，则出轻系[②]，去稽留[③]；明庶风至，则正封疆，修田畴；清明风至，则出币帛，使诸侯；景风至，则爵有位，赏有功；凉风至，则报地德，祀四郊[④]；阊阖风至，则收县垂[⑤]，琴瑟不张；不周风至，则修宫室，缮边城；广莫风至，则闭关梁，决刑罚。

【注释】

①八风：不同季节来自八方的风，包括：条风（初春时来自东北方化生万物的春风）、明庶风（春分时节使万物萌芽的东风）、清明风（立夏时节温暖的东南风）、景风（夏至时来自南方的炎热大风）、凉风（立秋时来自西南方的清凉风）、阊阖风（秋分时的西风）、不周风（立冬时来自西北方的凛冽寒风）、广莫风（冬至时来自北方大漠的寒风）。

②轻系：轻罪犯人。

③稽留：停留，引申为拘留、关押。

④四郊：四方神灵。

⑤县（xuán）垂：指悬挂于架上的钟磬乐器。县，通“悬”。

【译文】

什么是八风？冬至以后四十五天立春时来到的是条风；条风到后四十五天春分时，明庶风到；明庶风到后四十五天立夏时，清明风到；清明风到后四十五天夏至时，景风到；景风到后四十五天立秋时，凉风到；凉风到后四十五天秋分时，阊阖风到；阊阖风到后四十五天立冬时，不周风到；不周风到后四十五天冬至时，广莫风到。条风来临，就要释放罪行较轻的囚犯；明庶风来临，就要修整疆域田地；清明风来临，就要派使者拿币帛去慰问诸侯；景风来临，就要封赏有功德的人；凉风来临，就要报答大地的恩德，祭祀四方的神灵；阊阖风来临，就要收起悬挂的钟磬乐器，停止弹奏琴瑟；不周风来临，就要修缮宫室和边疆城池；广莫风来临，就要封闭关卡和桥梁，判决案件和执行刑罚。

【原文】

何谓五官[①]？东方为田[②]，南方为司马[③]，西方为理[④]，北方为司空[⑤]，中央为都[⑥]。

【注释】

①五官：五星分别担任的官职。

②田：农官，又叫司农。

③司马：主管军事的官。

④理：掌司法、刑罚之官。

⑤司空：主管土木营造的官。

⑥都：统管四方之官。

【译文】

什么叫五官？东方的木星是主持农事的田官，南方的火星是主持军事的司马，西方的金星是主持刑罚的理官，北方的水星是主持土木建筑的司空，中央的土星是众官的统领。

【原文】

何谓六府[①]？子午、丑未、寅申、卯酉、辰戌、巳亥是也。

【注释】

①六府：六合，与一年十二辰互相配合的六组时令。

【译文】

什么是六府？是指地支中两两相配的子午、丑未、寅申、卯酉、辰戌和巳亥。

【原文】

太微者，太一[1]之庭也。紫宫[2]者，太一之居也。轩辕[3]者，帝妃之舍也。咸池[4]者，水鱼之囿也。天阿者，群神之阙也。四宫者，所以为司赏罚。太微者，主朱雀。紫宫执斗而左旋[5]，日行一度，以周于天。日冬至峻狼之山；日移一度，月行百八十二度八分度之五，而夏至牛首之山。反覆三百六十五度四分度之一，而成一岁[6]。

【注释】

①太一：天帝。

②紫宫：紫微垣，三垣中的中垣。

③轩辕：星官名，属七星宿，有星十七颗。

④咸池：星官名，属毕宿，有星三颗。

⑤紫宫：居紫微宫的天神。斗：指北斗七星，由天枢、天璇、天机、天权、玉衡、开阳、摇光七颗亮星在北天排成斗形。左旋：从左向右旋。

⑥反覆三百六十五度四分度之一，而成一岁：从上一年冬至返回到下一年冬至。北斗日行一度，半年运行$182\frac{5}{8}$度，是上一年冬至到下一年夏至的时间，再从夏至到当年冬至，又是半年，此时北斗已运行一周天，走完$365\frac{1}{4}$度，用时一年。

【译文】

太微垣是天帝的朝堂。紫微垣是天帝的居所。轩辕是妃子的宫室。咸池是水鱼的管理区域。天阿是日月五星众神出入的门阙。四宫是主管赏罚的部门。太微主管朱雀。紫微垣的天神持北斗从左向右旋转，每天运行一度，环绕周天。冬至这一天运行到峻狼山方位；每天运行一度，运行了$182\frac{5}{8}$度时，正值夏至日走到牛首山方位。再返回到冬至日，走完$365\frac{1}{4}$度，时间定为一年。

卷四　地形训

【题解】

本训是古代重要的地理学文献，也包含了道家的自然天道观。其中自然地理方面，描绘了一幅当时比较完整的古代地形图；经济地理方面，探讨了土、气和各种矿物的转化；人文地理方面，记载了四方不同的种族和国家；神话地理方面则提出了生物进化的模式。

【原文】

土地各以其类生。是故山气多男，泽气多女；障气多喑，风气多聋；林气多癃①，木气多伛②，岸下气多肿③；石气多力，险阻气多瘿④；暑气多夭，寒气多寿；谷气多痹，丘气多狂⑤；衍⑥气多仁，陵气多贪；轻土多利，重土多迟；清水音小，浊水音大；湍水人轻，迟水人重；中土多圣人。皆象其气，皆应其类。

【注释】

①癃（lóng）：小便不通的病症，也指腿瘸。

②伛（yǔ）：驼背。

③肿：指脚肿。

④瘿（yǐng）：即大脖子病。

⑤狂：指肢体弯曲的病症。

⑥衍：低洼。

【译文】

一方水土养一方人。因此，山中雾气多的地方多男孩，沼泽湿气多的地方多女孩；瘴气弥漫的地方使人喑哑，邪风劲吹的地方使人耳聋；森林之气使人尿塞腿痛，林木之气会使人驼背佝偻，河岸之气使人脚肿；多岩之地的人力气大，险阻之地的人易患大脖子病；暑热之气使人短命，寒冷之气助人长寿；山谷之气导致肢体麻痹，丘陵之气多使人骨骼弯曲；低洼地方教人仁爱，丘陵地区诱人贪婪；松软沃土之地的人行动敏捷，板结贫瘠土地上的人行动迟钝。水流清澈之处的人声音细柔，水流浑浊之处的人声音粗重；生活在水流湍急处的人身体轻飘，生活在水流迟缓处的人身体笨重；九州中心多出圣人。总之，人的身体心理特征都和生活所在的地形、气候特征相呼应。

【原文】

故南方有不死之草，北方有不释之冰；东方有君子之国，西方有形残之尸①。寝居直梦②，人死为鬼；磁石上飞③，云母来水；土龙致雨，燕雁代④飞；蛤蟹珠龟⑤，与月盛衰。

【注释】

①形残之尸：形残即“刑天”，古音相通。

②寝居直梦：做梦得到验证。直，同“值”。

③磁石上飞：磁石在上，很多金属物被吸附。

④代：交替。

⑤蛤蟹珠龟：古人认为此四者皆属阴性，而月又称作太阴之精，可以感应。

【译文】

因此南方有常绿不衰的草木，北方有长年不化的冰雪；东方有君子的国家，西方有刑天的尸体。睡觉时做梦会应验，人死后灵魂化作鬼；磁石能吸引金属物，云母可以引来露水；

土龙可以使旱天降雨，燕子和大雁按节令南来北去；蚌蛤、螃蟹、珍珠、乌龟可以随月亮盈亏而盛衰变化。

【原文】

是故坚土人刚，弱土人肥；垆土[①]人大，沙土人细；息土[②]人美，耗土[③]人丑。食水者善游能寒，食土者无心而慧，食木者多力而奰[④]，食草者善走而愚，食叶者有丝而蛾，食肉者勇敢而悍，食气者神明而寿，食谷者知慧而夭，不食者[⑤]不死而神。

【注释】

①垆（lú）土：黑土。

②息土：沃土。

③耗土：贫瘠的土壤。耗，消耗。

④食水者：鱼和水鸟之类。食土者：蚯蚓之类。奰（bì）：即易怒。

⑤食草者：麋鹿之类。食叶者：蚕之类。食肉者：虎豹鹰雕之类。食气者：传说中的修道之士或者神龟。食谷者：人类。不食者：神仙。

【译文】

所以生活在坚硬土地上的人性格刚强，生活在松软土地上的人性格脆弱；黑土上生活的人高大，沙土上生活的人矮小；肥沃土地上的人漂亮，贫瘠土地上的人丑陋。食水的鱼类善于游水而且耐寒，吃泥土的蚯蚓蛆虫没有内脏却聪明，啃木的熊类力大又易怒，食草的鹿类善于奔跑但愚蠢，吃桑叶的蚕类抽丝作茧最后化为飞蛾，食肉的虎豹鹰雕勇敢凶悍，食气的修行之龟神明长寿，吃五谷杂粮的人类聪明却短命，什么都不吃的那就是不食人间烟火的神仙了。

【原文】

凡人民禽兽万物贞虫[①]，各有以生，或奇或偶，或飞或走，莫知其情，唯知通道者能原本之。

【注释】

①贞虫：昆虫。

【译文】

所以，凡是人类、飞禽、走兽、昆虫，都各有各的生存本领，或单或双、或飞或走，没有人能够知道为什么会这样，只有通晓大道的人才能追溯到其中的本原。

【原文】

东方川谷之所注，日月之所出。其人兑[①]形小头，隆鼻大口，鸢肩企[②]行，窍通于目，筋气属焉。苍色主肝，长大早知而不寿。其地宜麦，多虎豹。南方阳气之所积，暑湿居之。其人修形兑上，大口决眦，窍通于耳，血脉属焉。赤色主心，早壮而夭。其地宜稻，多兕[③]象。西方高土川谷出焉，日、月入焉。其人面末偻，修颈卬[④]行，窍通于鼻，皮革属焉。白色主肺，勇敢不仁。其地宜黍，多旄犀。北方幽晦不明，天之所闭也，寒冰之所积也，蛰虫之所伏也。其人翕[⑤]形短颈，大肩下尻[⑥]，窍通于阴，骨干属焉。黑色主肾，其人惷愚禽兽而寿。其地宜菽[⑦]，多犬马。中央四达，风气之所通，雨露之所会也。其人大面短颈[⑧]，美须恶肥，窍通于口，肤肉属焉。黄色主胃，慧圣而好治。其地宜禾，多牛羊及六畜。

【注释】

①兑：通“锐”，尖。

②鸢：老鹰。企：踮起脚。

③兕（sì）：雌犀牛。

④卬（áng）：即“昂”，昂着头。

⑤翕（xī）：闭合，收拢。

⑥尻（kāo）：臀部。

⑦菽（shū）：豆类的总称。

⑧颈：腮帮子。

【译文】

东方是河流溪水注入的地方，也是太阳和月亮升起的地方。那里的人体型尖细，小头，高鼻子，大嘴，鹰肩，踮脚走路，身体各个孔洞和眼睛相通，筋络气血也连通着眼睛。东方青色主管肝经，早慧而不长寿。那里的土质适宜种麦，虎豹很多。南方是阳气聚集和湿热停留的地方。那里的人体型修长，上部尖细，嘴大，眼眶深陷，身体的各个孔洞和耳朵相通，血脉也连通耳朵。南方红色主管心经，人们早熟而短命。那里的土质适宜种稻，犀牛和大象很多。西方是高山产生与江河的发源处，也是日月落下的地方。那里的人脊背弯曲，脖子细长，昂头走路，身体的孔洞和鼻子相通，身上的皮肤也连通鼻子。西方白色主管肺经，那里的人勇敢但不仁慈。那里的土质适宜种黍子，旄牛和犀牛很多。北方幽暗不明，是天地闭合之处，寒冰积聚，也是动物蛰伏的地方。那里的人体型萎缩，脖子短，肩膀宽而臀部下垂。身体的各个孔洞和阴部相通，骨骼的发育也与阴部功能相关。北方黑色主管肾经，那里的人愚笨但长寿。那里的土质适宜种豆类，狗和马很多。中部地区四通八达，是风云流通、雨露汇聚的好地方。那里的人脸大，腮帮子短，胡须美丽但身体肥胖，身体的各个孔洞与口相通，肌肉和口的作用也相关联。中央黄色主管胃经，那里的人聪慧而善于治理国事。那里适宜种谷物，牛羊及家畜很多。

【原文】

窔[1]生海人，海人生若菌，若菌生圣人，圣人生庶人，凡窦者生于庶人。

【注释】

①窦(bá)：俞樾认为“窦”字应为“胈”字。胈(bá)，指人身细毛。这里指人类之祖。

【译文】

胈生出海人，海人生出若菌，若菌生出圣人，圣人生出庶人，凡是人类都是经过以上几个阶段发展而来的。

【原文】

羽嘉生飞龙①，飞龙生凤皇，凤皇生鸾鸟，鸾鸟生庶鸟，凡羽者生于庶鸟。

【注释】

①羽嘉、飞龙：皆指早期的鸟类。

【译文】

羽嘉生出飞龙，飞龙生出凤凰，凤凰生出鸾鸟，鸾鸟生出庶鸟，凡是鸟类都是经过以上几个阶段发展而来的。

【原文】

毛犊生应龙①，应龙生建马，建马生麒麟，麒麟生庶兽，凡毛者生于庶兽。

【注释】

①毛犊：兽类的祖先。应龙：神话中有翼的龙。

【译文】

毛犊生出应龙，应龙生出建马，建马生出麒麟，麒麟生出庶兽，凡是兽类都是经过以上几个阶段发展而来的。

【原文】

介鳞生蛟龙[①]，蛟龙生鲲鲠[②]，鲲鲠生建邪，建邪生庶鱼，凡鳞者生于庶鱼。

【注释】

①介鳞：鱼类动物的最初形态。蛟龙：指有鳞甲的龙。

②鲲鲠（kūn gěng）：与下文的“建邪”都是假想中的早期鱼类。

【译文】

介鳞生出蛟龙，蛟龙生出鲲鲠，鲲鲠生出建邪，建邪生出庶鱼，凡是鱼类都是经过以上几个阶段发展而来的。

【原文】

介潭生先龙[①]，先龙生玄鼋[②]，玄鼋生灵龟，灵龟生庶龟，凡介者生庶于龟。

【注释】

①介潭、先龙：皆假想中的龟类动物的最初形态。

②鼋（yuán）：大鳖。

【译文】

介潭生出先龙，先龙生出玄鼋，玄鼋生出灵龟，灵龟生出庶龟，凡是龟类都是经过以上几个阶段发展而来的。

【原文】

正土之气也，御乎埃天[①]。埃天五百岁生缺[②]，缺五百岁生黄埃，黄埃五百岁生黄澒[③]，黄澒五百岁生黄金[④]，黄金千岁生黄龙，黄龙入藏生黄泉[⑤]。黄泉之埃[⑥]，上为黄云，阴阳相薄为雷，激扬为电，上者就下[⑦]，流水就通，而合于黄海[⑧]。

【注释】

①正土：中央大地。御：到。埃天：即黄天，中央色配黄。

②缺：通“砄”，一种石头。下文的青曾、赤丹、白礜、玄砥都是矿物名。

③澒(hònɡ)：水银。下文青、赤、白、玄四澒都是不同颜色的水银。

④黄金：金子。下文“赤金”指黄铅，“青金”指铅，“白金”指银，“玄金”指铁。

⑤黄泉：黄龙的体液所成。

⑥埃：水中的雾气。

⑦上者就下：指冷热气流相遇形成雨水。

⑧黄海：指中央之海。以下的青、赤、白、玄分别指东海、南海、西海、北海。

【译文】

中央正土之气，上升到天空形成黄天。黄天经五百年化育生出砄石，砄石经五百年化成黄汞，黄汞经五百年化成黄金，黄金经一千年化成黄龙，黄龙潜藏地下形成黄泉。黄泉的雾气，蒸发上升成为黄云，阴气和阳气相互迫近形成雷，激烈撞击形成电，高处云气遇到低处云气，冷热气流相汇形成雨水，降落大地集中于大小河道，再汇集流入中央的黄海。

【原文】

偏土之气，御乎清天①。清天八百岁生青曾，青曾八百岁生青澒，青澒八百岁生青金，青金八百岁生青龙，青龙入藏生青泉。青泉之埃，上为青云，阴阳相薄为（云）雷，激扬为电，上者就下，流水就通，而合于青海。

【注释】

①清天：据王念孙说，当为“青天”，指东方之天。

【译文】

东方偏土之气，上升到天空形成青天。青天经八百年化成青曾石，青曾石经八百年化成青汞，青汞经八百年化成铅，铅经过八百年化成青龙，青龙潜藏于地下形成青泉。青泉的雾气，蒸发为青云。阴阳二气相互迫近形成雷，激烈撞击形成电，高处云气遇到低处云气，冷热气流相汇形成雨水，降落大地集中于大小河道，再汇集流入东方的青海。

【原文】

牡土[①]之气，御于赤天。赤天七百岁生赤丹，赤丹七百岁生赤丹，赤丹七百岁生赤金，赤金千岁生赤龙，赤龙入藏生赤泉。赤泉之埃，上为赤云。阴阳相薄为雷，激扬为电，上者就下，流水就通，而合于赤海。

【注释】

①牡土：与下文北方牝土对应。

【译文】

南方牡土之气，上升到天空形成赤天。赤天经七百年化成赤丹，赤丹经七百年化成赤汞，赤汞经七百年化成红铜，红铜经一千年化出赤龙，赤龙潜藏地下形成赤泉。赤泉的雾气，蒸发为赤云，阴气和阳气相互迫近形成雷，激烈撞击形成电，高处云气遇到低处云气，冷热气流相汇形成雨水，降落大地集中于大小河道，再汇集流入南方的赤海。

【原文】

弱土之气，御于白天，白天九百岁生白礜[①]，白礜九百岁生白澒，白澒九百岁生白金，白金千岁生白龙，白龙入藏生白泉。白泉之埃，上为白云，阴阳相薄为雷，激扬为电，上者就下，流水就通，而合于白海。

【注释】

①白礜（yù）：毒砂，即硫化砷铁。古代丹砂、雄黄、白礜、曾青、慈石称为五石。

【译文】

西方弱土之气，上升到天空形成白天，白天经九百年化成白礜，白礜经九百年化生白汞，白汞经九百年化成白银，白银经一千年生出白龙，白龙潜藏地下形成白泉。白泉的雾气，蒸发为白云，阴气和阳气相互迫近形成雷，激烈撞击形成电，高处云气遇到低处云气，冷热气流相汇形成雨水，降落大地集中于大小河道，再汇集流入西方的白海。

【原文】

牝土之气，御于玄天。玄天六百岁生玄砥，玄砥六百岁生玄澒，玄澒六百岁生玄金，玄金千岁生玄龙，玄龙入藏生玄泉。玄泉之埃，上为玄云，阴阳相薄为雷，激扬为电，上者就下，流水就通，而合于玄海。

【译文】

北方牝土之气，上升到天空形成玄天。玄天经六百年化育出玄砥，玄砥六百年化成玄汞，玄汞六百年化成黑铁，黑铁经一千年生出玄龙，玄龙潜藏地下形成玄泉。玄泉的雾气，蒸发成黑云，阴气和阳气相互迫近形成雷，激烈撞击形成电，高处云气相遇低处云气，冷热气流相汇形成雨水，降落大地集中于大小河道，再汇集流入北方的黑海。

卷五　时则训

【题解】

时则指的是人类利用自然变化的规律为人类的生产生活服务，同时强调这是君王治理天下的依据，只有顺应自然规律，才能有效施政。

【原文】

五位：东方之极，自碣石山过朝鲜，贯大人之国，东至日出之次，榑木①之地，青土②树木之野，太皞、句芒③之所司者，万二千里。其令曰："挺④群禁，开闭阖，通穷室，达障塞，行优游，弃怨恶，解役罪，免忧患，休罚刑，开关梁，宣出财，和外怨，抚四方，行柔惠，止刚强。"

【注释】

①榑（fú）木：即"扶桑"，日出之地。木，桑。

②青土：据王念孙说，应为青丘，是东方国名。

③太皞：伏羲氏。句芒：少昊氏之子，死后为木神。

④挺：解除，放宽。

【译文】

五方位：东方最远的地方，从碣石山起，经朝鲜，过大人国，往东到太阳升起的地方，即扶桑和青丘树木之野，是太皞、句芒所辖之处，方圆一万二千里。他们的政令说道："放宽各种禁令，打开关闭的门户，疏通堵塞的地方，打通障碍关塞，让万物优哉游哉，抛弃怨恨和憎恶，释放役夫和罪犯，免除忧烦和祸患，停止惩处和刑罚，开放关卡和桥梁，散发府库的财物，缓和周边国家的仇怨，安抚四方的百姓，实施怀柔的政策，禁止欺凌的行为。”

【原文】

南方之极，自北户[孙]①之外，贯颛顼②之国，南至委火③、炎风之野，赤帝、祝融④之所司者，万二千里。其令曰：“爵有德，赏有功，惠贤良，救饥渴，举力农，振贫穷，惠孤寡，忧罢⑤疾，出大禄，行大赏，起毁宗，立无后，封建侯，立贤辅。”

【注释】

①北户[孙]：当作“北户”，意为南方之国；“孙”是衍文。

②颛顼：传说中的南方国名。

③委火：南方地名。

④赤帝：炎帝。祝融：火神。

⑤忧：通“优”。罢：通“疲”。

【译文】

南方最远的地方，从北户以外起，过了颛顼国，向南到委火、炎风的旷野，那是赤帝、祝融管辖之处，方圆一万二千里。他们的政令说道：“赐爵位给有德行的人，奖赏有功之臣，优待贤良之士，救助饥荒之人，帮扶务农之人，赈济贫穷百姓，关怀孤儿寡妇，优待照顾疲弱患病者，实行高额俸禄，执行优厚奖赏，复兴被毁的宗族，选定无嗣国家的继承者，分封建立诸侯国，选定贤能的辅佐大臣。”

【原文】

中央之极，自昆仑东绝两①恒山，日月之所道，江、汉之所出，众民之野，五谷之所宜，龙门、河、济相贯，以息壤堙[②]洪水之州，东至于碣石，黄帝、后土[③]之所司者，万二千里。其令曰：“平而不阿，明而不苛，包裹覆露，无不囊怀，溥氾[④]无私，正静以和，行稃鬻[⑤]，养老衰，吊死问疾，以送万物之归。”

【注释】

①两：疑为衍文。

②息壤：传说中一种生生不息的土壤。堙：堵塞。

③后土：土神。

④溥氾（pǔ fàn）：广泛。

⑤稃（fū）：谷壳，粗糠。鬻：同“粥”。

【译文】

中央广大的地区，从昆仑山以东起，越恒山，到达日月普照的地带，这是长江和汉水的发源地和流域，又是人口稠密的地区，这里适宜五谷生长，龙门、黄河、济水从这里穿过，是大禹用息壤堵塞洪水的地方，它东到碣石山，是黄帝、后土管辖的地域，共一万二千里。他们的政令是：“处事要公正不阿，明察秋毫却不苛刻，能包容滋润万物，没有遗漏之处。博大无私，这样就能使政治公平温和；要施舍谷粥、救济贫困，扶养老弱，哀悼死者，慰问病者，使万物都有归宿。”

【原文】

西方之极，自昆仑绝流沙、沉羽[①]，西至三危之国，石城金室，饮气之民，不死之野，少皓、蓐收[②]之所司者，万二千里。其令曰：“审用法，诛必辜[③]，备盗贼，禁奸邪，饰[④]群牧[⑤]，谨著聚，修城郭，补决窦，塞蹊径，遏沟渎，止流水，雍溪谷，守门闾，陈兵甲，选百官，诛不法。”

【注释】

①沉羽：即弱水，河水不能浮起羽毛。

②少皓：黄帝之子青阳，死后为西方之帝。蓐收：金天氏之子，死后为金神。

③辜：罪。

④饰：整治。

⑤牧：地方官员。

【译文】

西方最远的地方，从昆仑山越过流沙河、弱水，向西到三危之国，那里有宝石砌成的城堡，饰有黄金的房屋，居民以气为食，能长生不死，是少皞、蓐收管辖的地方，方圆一万二千里。他们的政令是："用刑审慎，只杀罪大恶极之人，防备盗贼，禁绝奸邪，整治一众地方官员，慎重积聚收藏，修建城郭，填补河道决口和堤防漏洞，堵塞田间小道，遏止泛滥的洪水，堵塞溪谷水流，守卫城门里巷，陈列兵器，挑选百官，严惩不法。"

【原文】

北方之极，自九泽穷夏晦[①]之极，北至令正之谷，有冻寒积冰、雪雹霜霰、漂润群水之野，颛顼、玄冥[②]之所司者，万二千里。其令曰："申群禁，固闭藏，修障塞，缮关梁，禁外徙，断罚刑，杀当罪，闭关闾，大搜客，止交游，禁夜乐，蚤闭晏开，以索奸人，已德[③]，执之必固，天节已几[④]，刑杀无赦，虽有盛尊之亲，断以法度；毋行水，毋发藏，毋释罪。"

【注释】

①九泽：北方之泽。夏晦：指北方广漠晦暗之地。夏，大。晦，暗。

②颛顼：黄帝之孙，号高阳氏，死后为北方之帝。玄冥：水神。

③德：通“得”。

④天节：节令。几：尽。

【译文】

北方最远的地方，从九泽一直到广漠晦暗的边际，北到令正谷，那里冰冻寒冷终年积冰，冰雹霜雪不断，是储存水源的地方，是颛顼、玄冥管辖的地界，方圆一万二千里。他们的政令是：“申述各种禁令，加固封闭的储藏，修筑关卡障碍，修缮关口桥梁，杜绝居民外迁，判定刑罚，处决死囚，关门闭户，大范围搜捕外来歹徒，禁止交游，不准夜间娱乐，门户要早关晚开，以便搜寻坏人，抓获之后，严加看管拘押，一年的节令将结束，执行刑罚要严厉，对死刑不能赦免，即使有势力大、地位高的宗亲，只要犯了罪也要依法判决；不可搅动水源，不要动用封藏，不要释放罪犯。”

【原文】

六合[①]：孟春与孟秋为合，仲春与仲秋为合，季春与季秋为合，孟夏与孟冬为合，仲夏与仲冬为合，季夏与季冬为合。

【注释】

①六合：一年之中十二个月，相对应的两个月份互相影响制约并产生变化，叫作六合。合，对应。

【译文】

六合：孟春一月与孟秋七月对应，仲春二月与仲秋八月对应，季春三月与季秋九月对应，孟夏四月与孟冬十月对应，仲夏五月与仲冬十一月对应，季夏六月与季冬十二月对应。

【原文】

孟春始赢[1]，孟秋始缩；仲春始出[2]，仲秋始内[3]；季春大出，季秋大内；孟夏始缓，孟冬始急；仲夏至修[4]，仲冬至短[5]；季夏德毕，季冬刑毕。

【注释】

①赢：生长。

②出：二月始播种。

③内：通“纳”，八月收敛。

④修：夏至白天最长。

⑤短：冬至白天最短。

【译文】

孟春万物开始生长，孟秋万物开始萎缩；仲春开始播种，仲秋开始纳藏；季春农忙，季秋收获；孟夏开始舒缓，孟冬肃杀急迫；仲夏白日最长，仲冬白昼最短；季夏阳气将要穷尽，季冬阴气即将结束。

【原文】

故正月失政，七月凉风不至；二月失政，八月雷不藏；三月失政，九月不下霜；四月失政，十月不冻；五月失政，十一月蛰虫冬出其乡[1]；六月失政，十二月草木不脱；七月失政，正月大寒不解；八月失政，二月雷不发；九月失政，三月春风不济[2]；十月失政，四月草木不实；十一月失政，五月下雹霜；十二月失政，六月五谷疾狂[3]。

【注释】

①乡：指居住的洞穴。

②济：止。

③疾狂：指五谷因气候反常而狂长，但果实不饱满。

【译文】

所以，正月政令不当，七月凉风就不到；二月政令不当，八月就雷鸣不停；三月政令不当，九月就不降霜；四月政令不当，十月就没有冰冻；五月政令不当，十一月冬眠的动物就钻出洞穴；六月政令不当，十二月草木还不凋落。七月政令不当，正月就严寒不散；八月政令不当，二月雷声就不会发出；九月政令不当，三月就春风吹不停；十月政令不当，四月则草木不结果实；十一月政令不当，五月就会降下冰雹；十二月政令不当，六月则五谷狂长果实干瘪。

【原文】

春行夏令，泄①；行秋令，水；行冬令，肃。夏行春令，风；行秋令，芜；行冬令，格②。秋行夏令，华③；行春令，荣④；行冬令，耗⑤。冬行春令，泄；行夏令，旱；行秋令，雾。

【注释】

①泄：发散，泄散。

②格：零落。

③华：木开花。

④荣：草开花。

⑤耗：零落。

【译文】

如果春季实施夏季的政令，春天的气息就会失散；春季实施秋季的政令，就会多水灾；春季实施冬季的政令，就会充斥肃杀之气。如果夏季实施春季的政令，就会刮风不断；夏季实施秋季的政令，就会田野荒芜；夏季实施冬季的政令，草木就会凋落。如果秋季实施夏季的政令，树木会继续繁茂；秋季实施春季的政令，草类就茂盛生长；秋季实施冬季的政令，草木将过早凋零。如果冬季实施春季的政令，阴气就会发散开来；冬季实施夏季的政令，便会出现旱灾；冬季实施秋季的政令，将会雾气弥漫。

【原文】

制度[①]：阴阳大制[②]有六度，天为绳，地为准[③]，春为规，夏为衡，秋为矩，冬为权。绳者，所以绳万物也；准者，所以准万物也；规者，所以员[④]万物也；衡者，所以平万物也；矩者，所以方万物也；权者，所以权万物也。

【注释】

①制度：法令。

②大制：基本的法则。

③准：水平仪。

④员：同“圆”。

【译文】

法令：制度有阴有阳，最基本的有六种，天是墨线，地是水平仪，春令是圆规，夏令是秤杆，秋令是矩尺，冬令是秤砣。墨线是用来度量是非曲直的，水平仪是用来测量万物精准的，圆规是用来衡量万物圆曲的，秤杆是用来度量万物平衡的，矩尺是用来度量万物方正的，秤砣是用来衡量万物权变的。

【原文】

明堂之制，静而法准，动而法绳。春治以规，秋治以矩，冬治以权，夏治以衡。是故燥湿寒暑以节至，甘雨膏露以时降。

【译文】

明堂的制度，平静时取法水平仪，行动时效法墨线。春季用规度来治理，秋季用矩度来治理，冬季用权度来治理，夏季用衡度来治理。因此，干燥、潮湿、寒冷、暑热都会按季节出现，甘甜的雨露也会按时节降临。

卷六　览冥训

【题解】

览冥的字面含义是览观幽冥变化之端，其实就是对自然界和人类社会之间关系的探究。万物之间存在一些相互影响的关系，这些关系将自然界和人类社会紧密地联系，只有揭示并顺应这些关系发展变化的规律，才能促进人类社会的稳定和发展。

【原文】

昔者，黄帝治天下，而力牧、太山稽①辅之，以治日、月之行律，治阴、阳之气；节四时之度，正律历之数；别男女，异雌雄；明上下，等贵贱；使强不掩弱，众不暴寡；人民保命而不夭，岁时熟而不凶；百官正而无私，上下调而无尤；法令明而不暗，辅佐公而不阿；田者不侵畔，渔者不争隈；道不拾遗，市不豫贾②；城郭不关，邑无盗贼；鄙旅之人，相让以财；狗彘吐菽粟于路，而无忿争之心。于是日月精明，星辰不失其行；风雨时节，五谷登熟；虎狼不妄噬，鸷鸟不妄搏；凤皇翔于庭，麒麟游于郊；青龙进驾③，飞黄伏皂④；诸北、儋耳⑤之国，莫不献其贡职，然犹未及虙戏氏⑥之道也。

【注释】

①力牧、太山稽：相传为黄帝的大臣。

②豫贾：抬高物价。豫，伪，欺诈。贾，同“价”。

③驾：皇帝的车乘。

④飞黄：神兽名。皂：通“槽”，即马槽。

⑤诸北：泛指北方各少数民族。儋耳：南方之国，在今海南。

⑥虙戏氏：即伏羲氏、庖牺氏。

【译文】

从前，黄帝治理天下，有力牧、太山稽两位贤臣辅佐他，因而能顺应太阳、月亮的运行，依照阴气、阳气变化的规律制定法则；调节四季的法度，修正律历的标准；区分男女雌雄；明确上下等级，让地位平等；使得强不能凌弱，众不能欺寡；百姓能保全天年而不夭折，庄稼按时成熟丰收而不闹饥荒；百官公正无私，上下关系协调没有怨恨；法令严明不昏暗，辅政大臣公正不阿；耕田的不互相侵犯田界，打鱼的不争夺多鱼的河湾；路不拾遗，市有定价；城门昼夜敞开，城镇没有盗贼；边远之人，互相谦让财物；连猪狗都因粮食丰富而将豆谷吐弃路旁，毫无争抢之心。天下清平安定，日月明亮，星辰运行正常；风调雨顺，五谷丰登；虎狼不随意扑咬，猛禽不随便搏击；凤凰飞临庭院，麒麟闲游郊外；青龙进献车驾，飞黄神马安伏马槽；天南海北的边远国家，没有哪个不进献贡品，然而黄帝的治术还是比不上伏羲氏的道术。

【原文】

往古之时，四极废，九州裂，天不兼覆，地不周载；火爁[①]炎而不灭，水浩洋[②]而不息；猛兽食颛民，鸷鸟攫老弱。于是女娲炼五色石以补苍天，断鳌足以立四极，杀黑龙以济冀州，积芦灰以止淫水。苍天补，四极正；淫水涸，冀州平；狡虫死，颛民生；背方州，抱员天；和春阳夏，杀秋约冬，枕方寝绳。阴阳之所壅沉不通者，窍理之；逆气戾物、伤民厚积者，绝止之。当此之时，卧倨倨[③]，兴眄眄[④]，一自以为马，一自以为牛；其行蹎蹎[⑤]，其视瞑瞑；侗然[6]皆得其和，莫知所由生；浮游不知所求，魍魉[7]不知所往。当此之时，禽兽蝮蛇，无不匿其爪牙，藏其螫毒，无有攫噬之心。考其功烈，上际九天，下契黄垆，名声被后世，光晖重万物。乘雷车，服[8]驾应龙，骖青虬，援绝瑞，席萝图，黄云络，前白螭，后奔蛇，浮游消摇，道鬼神，登九天，朝帝于灵门，宓穆休于太祖之下。然而不彰其功，不杨其声，隐真人之道，以从天地之固然。何则？道德上通，而智故消灭也。

【注释】

①爁（làn）：火势蔓延。

②浩洋：水大的样子。

③倨（jù）倨：无所思虑的样子。

④眄（miàn）眄：眼睛斜视的样子。

⑤蹎（diān）蹎：舒缓迟重的样子。

⑥侗（tóng）然：幼稚无知的样子。

⑦魍魉：飘忽不定、无所依靠的样子。

⑧服：古代一车四马，居中两匹称服马，两旁叫骖马。

【译文】

远古时代，四根擎天大柱倒了，九州大地裂开了，天不能覆盖地，地也无法承载万物；大火蔓延不熄，洪水泛滥不止；猛兽吞食善良的百姓，猛禽捕捉老弱病残。于是女娲冶炼五色石来修补苍天，砍下鳌足当擎天柱，堆积芦灰制止洪水，斩杀黑龙平息大地的动乱。苍天补好，四柱擎立；泛滥的洪水消退了，四海平定；猛兽尽死，善良的百姓活了下来；女娲背靠大地，怀抱青天；让春天温暖，夏天炽热，秋天肃杀，冬天寒冷，她头枕着矩尺、身躺在准绳上。阴阳之气一旦阻塞不通，便给予疏通；当恶逆之气危害百姓积聚的财物时，便予以消除。这时天清地定，人们睡着时无所牵挂，醒来时无知无虑，一会儿以为自己是牛，一会儿又自以为是马；行动舒缓沉稳，看东西若明若暗；天真幼稚，与自然万物相和谐，谁也不知道自己从何而来；随意闲荡，也不知到底有何所需；飘忽不定，没有目标。这时，野兽毒蛇全都收起爪牙、毒刺，没有捕捉吞食的欲望。女娲的功绩，上可以贯通九天，下可以锲刻黄泉，名声流传后世，光辉普照万物。她乘坐雷车，应龙居中，青蛇在旁，手持稀世瑞玉，铺着五彩垫席，上有黄云缭绕，前有白螭开道，后有奔蛇簇拥，逍遥遨游，鬼神为之引导，上登九天，在灵门朝见天帝，安详静穆地于大道休息。然而，她并不彰显自己的功绩，不张扬自己的名声，她凭借真人之道，遵守天地自然。为什么会这样呢？因为道德上通九天，智巧奸诈就自然灭绝了。

【原文】

逮至夏桀之时，主暗晦而不明，道澜漫而不修；弃捐五帝之恩刑，推蹶三王之法籍；是以至德灭而不扬，帝道掩而不兴；举事戾苍天，发号逆四时；春秋缩其和，天地除其德；仁君处位而不安，大夫隐道而不言；群臣准上意而怀当，疏骨肉而自容；邪人参耦[①]比周而阴谋，居君臣父子之间而竞载；骄主而像其意，乱人以成其事。是故君臣乖而不亲，骨肉疏而不附；植社槁而墿裂，容台[②]振而掩覆；犬群嗥而入渊，豕衔蓐而席澳；美人挐首墨面而不容[③]，曼声[④]吞炭内闭而不歌；丧不尽其哀，猎不听其乐；西老折胜，黄神啸吟；飞鸟铩翼，走兽废脚；山无峻干，泽无洼水；狐狸首穴[⑤]，马牛放失；田无立禾，路无莎薠[⑥]；金积折廉，璧袭无理[⑦]；磬龟无腹[⑧]，蓍策日施。

【注释】

①参耦（ǒu）：叁偶，三三两两。

②容台：古代行礼的高台。

③挐（rú）首：指弄乱头发以避祸。容：修饰打扮。

④曼声：舒展悠长的歌声，这里代指善歌者。

⑤首穴：头朝巢穴。

⑥莎薠（suō fán）：野草名。

⑦袭：积。理：纹理。

⑧磬龟无腹：是说频繁地灼龟甲占卜，以致龟甲被钻空了。磬，空。

【译文】

到了夏桀统治的时候，君主昏庸不明事理，治国散乱不加修整，抛弃了五帝恩威并重的措施，推翻了三王的法规；所以，至高的道德被泯灭而无法弘扬，五帝的道统被掩盖而无法提倡；君主办事背离天意，发号施令又违逆时令；春天和秋天藏起和顺之气，天地也不再布施恩泽；仁君身处君位却心神不安，大夫隐藏真实想法却不敢直言进谏；群臣只能揣测圣意，曲意逢迎，背离骨肉亲情，只求明哲保身；奸佞之徒结党营私，谋取私利，奔走于君臣父子之间，竞相骄纵主子以邀恩宠，好在混乱中谋取私利。这样一来，君臣离心离德尖锐对立，骨肉疏离各奔东西；庙堂宗祠无人祭祀而枯朽破败，礼仪之台受震坍塌；丧家之犬成群结队，哀号着跳进深渊，猪衔着垫草跑到水边；美人也蓬头垢面不再打扮，歌手自吞火炭情愿声音嘶哑也不肯歌唱；办丧事的不能尽情流露悲哀，田猎游玩也得不到欢乐；西王母折断珍贵的头饰，黄帝之神也长啸叹息；飞鸟翅翼折断，走兽摔断肢骨；山上的大树被砍光，河水浑浊得鱼儿无法生存；死了的狐狸头朝巢穴躺着，牛马四处走失无法寻找；田里看不见生长着的禾苗，路旁也没有茂盛的野草；仓库里堆积的金银器皿锈蚀得断了边角，玉璧上雕刻的花纹也磨掉了；昏君把占卜的龟壳钻得全空了也得不到吉兆，却还要每天拿着蓍草求神问鬼。

【原文】

晚世之时，七国异族；诸侯制法，各殊习俗；纵横间之，举兵而相角；攻城槛杀，覆高危安；掘坟墓，杨人骸；大冲车，高重京；除战道，便死路；犯严敌，残不义[①]；百往一反，名声苟盛也。是故质壮轻足者，为甲卒千里之外，家老羸弱凄怆于内；厮徒马圉[②]，軵[③]车奉饷，道路辽远，霜雪亟集，短褐不完，人羸车弊，泥涂[④]至膝；相携于道，奋首[⑤]于路，身枕格[⑥]而死。所谓兼国有地者，伏尸数十万，破车以千百数，伤弓弩矛戟矢石之创者，扶举于路。故世至于枕人头、食人肉、菹[⑦]人肝、饮人血，甘之于刍豢。

【注释】

①残不义：残害不宜杀害的人。义，通“宜”。

②厮徒：服役的奴隶。马圉（yǔ）：马夫。

③軵（rǒng）：推。

④涂：泥泞。

⑤奋首：拉车时伸颈奋力挣扎的样子。

⑥格：通“辂（lù）”，挽车用的横木。

⑦菹（zū）：肉酱。这里作动词，食用。

【译文】

到了晚近的战国时代，天下分裂成七个不同姓氏的国家；各诸侯国都有自己的法令制度，是依据自己的风俗习惯制定的；纵横家又从中挑拨离间，因而各国互相兴兵争斗；他们攻城略地，滥杀无辜，将高城夷为平地，平安化作危险；挖掘他人的坟墓，抛撒坟中的尸骨；攻城的冲车越造越大，防御的城墙越垒越高；修整战道，使阻塞的道路便于行军；进犯强大的敌军，残杀无辜的百姓；百人出征，一人生还，换来虚名；体魄强壮、行动敏捷的人被征召入伍，在千里之外拼杀，老弱病残在家凄凉地哭泣；服役的奴隶马夫，拉着车子运送军粮，道路遥远，风雪交加，破衣烂衫，疲乏不堪，车辆破损，污泥没过膝盖；只能搀扶拉扯，挣扎向前，常常冻累而死，倒在挽车的横木上。所谓兼并别国领土的国家，总要横尸几十万、毁坏战车千百辆，因弓箭、矛戟、滚石致残的，或被搀扶或被抬着，沿路随处可见。战争残酷到枕骷髅头、吃人肉、食人肝、喝人血都比吃牛肉猪肉还甜美的地步。

【原文】

故自三代以后者，天下未尝得安其情性，而乐其习俗，保其修命，天[①]而不夭于人虐也。所以然者何也？诸侯力征，天下［不］合而为一家。

【注释】

①天：享尽天年。

【译文】

所以从三代往后，天下之人再也不能安守他们的性情，享受纯朴风俗的快乐，保全生命，尽享天年而不夭折在人祸之中。造成这种惨状的原因是什么呢？就是因为诸侯间长年的征伐，天下不能成为大一统的国家。

【原文】

逮至当今之时，天子[①]在上位，持以道德，辅以仁义，近者献其智，远者怀其德；拱揖指麾[②]，而四海宾服；春秋冬夏，皆献其贡职；天下混而为一，子孙相代，此五帝之所以迎天德[3]也。

【注释】

①天子：汉武帝。

②拱揖指麾：形容轻松自如、从容地指挥。拱揖，拱手合掌。指麾，即“指挥”。

③迎：顺应。天德：上天的旨意，这里指无为而治的黄老之术。

【译文】

到了当下这个时候，天子处于最高位，用道德来治理天下，以仁义来辅助，身边的大臣贡献智慧，广大百姓心怀天子的恩德；天子从容指挥，四海臣服，春夏秋冬四季，按时献上贡品，天下浑然而一统，子孙代代相传，这就是五帝用来顺应天德的缘故。

【原文】

夫圣人者不能生时，时至而弗失也。辅佐有能，黜[1]谗佞之端，息巧辩之说；除削刻[2]之法，去烦苛之事；屏流言之迹，塞朋党之门；消知能，修太常[3]；隳[4]肢体，绌聪明；大通混冥，解意释神，漠然若无魂魄，使万物各复归其根，则是所修伏牺氏之迹，而反五帝之道也。

【注释】

①黜：贬退。

②削刻：严酷尖刻。

③修：遵循。太常：国家重大的礼法规则。秦有“奉常”之职，汉景帝时改名“太常”，掌管礼乐祭祀等。

④隳（huī）：毁坏。

【译文】

圣人并不能创造时运，只不过时运到来之际，他们没有错失良机罢了。如果选用贤能的人辅佐，就能抵制谗佞之徒的祸端，平息巧辩之人的说辞；废除苛刻严酷的刑罚，减少烦琐杂乱的事务；挡住流言蜚语的传播，阻塞结党营私的门路；收敛智巧的能力，遵循礼法的规则；禁绝私心杂念，抛弃小聪明；彻底通达于混沌之境，打开意念放松精神，淡漠茫然如同失魂落魄，让万事万物自然回归它们的根本，这样才循着伏羲氏的足迹，返回到五帝的道统。

卷七　精神训

【题解】

精气是构成人体的基本物质，是生命活动的源动力；精神是以精气为基础对人体起守护作用的意识活动。作者认为，精神对形体有主宰作用，人要养精蓄锐就不能为外物所累。

【原文】

古未有天地之时，惟像无形。窈窈冥冥，芒芠漠闵①；澒濛鸿洞②，莫知其门。有二神③混生，经天营地，孔乎莫知其所终极，滔乎莫知其所止息。于是乃别为阴、阳，离为八极；刚柔相成，万物乃形；烦气为虫，精气为人。

【注释】

①芒芠（wén）漠闵：混沌的样子。

②澒濛鸿洞（tóng）：混沌、未成形的样子。

③二神：指阴阳二气。

【译文】

远古还没有形成天地的时候，只有模糊恍惚的状态。没有有形之物，昏暗幽深、混沌不清，无法知道它们的大门。那时有阴阳二神同时出现，开天辟地，原先天地深远得没有尽头，宽广得没有边缘。这时便分出天地，散成八方，阴阳二气互相作用，万物从中开始形成。杂乱之气产生虫类，精纯之气就产生了人类。

【原文】

是故精神天之有也；而骨骸者地之有也。精神入其门，而骨骸反其根，我尚何存？是故圣人法天顺情[①]，不拘于俗，不诱于人。以天为父，以地为母；阴阳为纲，四时为纪；天静以清，地定以宁，万物失之者死，法之者生。夫静漠者，神明之宅[②]也；虚无者，道之所居也。是故或求之于外者，失之于内；有守之于内者，失之于外。譬犹本与末也，从本引之，千枝万叶，莫得不随也。

【注释】

①情：情理。

②宅：居所。

【译文】

所以，人的精神回到天上，形骸归于大地。人死以后，精神回归上天，形骸归属大地，人还剩下什么呢？因此圣人遵循天地运行的规律，不为世俗所拘束，不被人欲所诱惑，以天为父，以地为母，以阴阳、四时运行为准则；天清澈明净，地平和安宁，万物离开它就死亡，依附它才能生存。静漠，是神明所居之处；虚无，是大道所居之处。所以，只追求外形的人，会丧失内在精神的修养；专注于内心修养的人，又会失去外形的健康。好比大树的根本与末梢的关系，抓住树根来牵拉，千枝万叶没有不随之摇动的。

【原文】

是故血气者，人之华也；而五藏者，人之精也。夫血气能专于五藏而不外越，则胸腹充而嗜欲省矣。胸腹充而嗜欲省，则耳目清、听视达矣。耳目清、听视达，谓之明。五藏能属于心而无乖，则敦志胜而行不僻[①]矣。敦志胜而行之不僻，则精神盛而气不散矣。精神盛而气不散则理，理则均，均则通，通则神，神则以视无不见，以听无不闻也，以为无不成也。是故忧患不能入也，而邪气不能袭。故事有求之于四海之外而不能遇，或守之于形骸之内而不见②也。故所求多者所得少，所见大者所知小。

【注释】

①教：旺盛。僻：邪。

②见：见效。

【译文】

所以，人的血气和五脏是人的精华。血气如果能聚集在五脏而不外溢，那么五脏就会充实而欲望也随之减少。五脏充实欲望减少，就能使耳聪目明、视听畅达。耳聪目明、视听畅达，叫作明。五脏能归属于心而不与心违逆，那么旺盛之志自能战胜，行为就不会乖僻。旺盛之志能够战胜则行为不会乖僻，那么精神旺盛而精气就不外泄。精神旺盛、精气不泄则顺畅，顺畅就平和，平和就通达无阻，通达无阻就能产生出神力，这种神力能使人视无不见、听无不闻，没有什么事办不成。这样，忧愁灾祸就不会降临，歪风邪气也无法侵扰。因此有些事情到四海之外去追求却不能得到，有时死守内心也不能见效。所以贪多反而所得很少，看见大的反而所知更小。

【原文】

所谓真人者，性合于道也。故有而若无，实而若虚；处其一，不知其二；治其内，不识其外。明白太素，无为复朴，体本抱神，以游于天地之樊，芒然仿佯于尘垢之外，而消摇于无事之业。浩浩荡荡乎，机械知巧，弗载于心。是故死生亦大矣，而不为变。虽天地覆育，亦不与之抮抱[1]矣。审乎无瑕，而不与物糅；见事之乱，而能守其宗。若然者，正肝胆，遗耳目；心志专于内，通达耦于一。居不知所为，行不知所之，浑然而往，逯然[2]而来。形若槁木，心若死灰。忘其五藏，损其形骸。不学而知，不视而见，不为而成，不治而辩。感而应，迫而动，不得已而往，如光之耀，如景之放。以道为紃[3]，有待而然。抱其太清之本而无所容与，而物无能营。廓惝而虚，清靖而无思虑。大泽焚而不能热，河、汉涸[4]而不能寒也，大雷毁山而不能惊也，大风晦日而不能伤也。是故视珍宝珠玉犹石砾也，视至尊穷宠犹行客也，视毛墙西施犹頬丑[5]也。以死生为一化，以万物为一方。同精于太清之本，而游于忽区之旁。有精而不使者，有神而不行，契大浑之朴，而立至清之中。

【注释】

①抮（zhěn）抱：转移。

②逯（lù）然：随意行走的样子。

③紃（xún）：通“循”。

④涸：通“冱”，冰冻。

⑤頬丑：极丑陋的人。

【译文】

所谓真人就是本性与大道完全融合的人。所以真人好像有形又好像无形，好像充实又似乎空虚；他精神专一而不转移，注重内心修养，不受外界干扰；真人明洁纯粹，淡泊无为而返璞归真，坚守根本、保全精神，遨游于天地之间，茫然徘徊于尘世之外，逍遥于宇宙初始的混沌状态里。真人心胸浩大，没有任何机巧奸诈。所以，生死都不能使他变化；就是天翻地覆，他也不为所动。他清醒地明白生命来自上天，不与外物相杂糅，面对纷乱的世事而坚守根本。就像这样，他忘掉肝胆，遗弃耳目，专意于内心修养，使自己的精神和大道融为一体。他居住时不知自己在做什么，行动时不晓得要去哪里，浑浑噩噩，恍恍惚惚。他形容枯槁，心如死灰，忘却五脏，抛弃形骸。他不用学习就能懂，不用睁眼就能看，不用做就能成功，不用管就能办好。他受感触才做出反应，受到逼迫才自然行动，不得已才前往，如光电般闪耀，如影随形。他以道为准绳，依靠道体会。真人拥抱大道这个根本，不放纵私欲，因而外物无法扰乱他的心神。他心胸开阔，清静无欲。大泽焚烧也不能使他感到炎热，河水冰冻也不能使他感到寒冷，炸雷劈山也不能使他受到惊吓，狂风刮得天昏地暗也不能使他受到伤害。所以，他视珍宝珠玉如石子，把至尊帝王看得像过客，视毛嫱、西施如土偶人。他将死生看作一种自然变化，将万物看作一类，让自己的精神合于天道，遨游于恍惚无边的境界里。真人有精气而不运用，有神功而不显露，和浑然质朴的大道相融，立足于清静太虚之境。

【原文】

衰世凑学[①]，不知原心反本，直雕琢其性，矫拂[②]其情，以与世交。故目虽欲之，禁之以度；心虽乐之，节之以礼；趋翔[③]周旋，诎节[④]畀拜；肉凝而不食[⑤]，酒澄而不饮[⑥]；外束其形，内愁其德；错阴阳之和，而迫性命之情，故终身为悲人。达至道者则不然，理情性，治心术；养以和，持以适；乐道而忘贱，安德而忘贫；性有不欲，无欲而不得；心有不乐，无乐而弗为；无益情者，不以累德；而便于性者，不以滑。故纵体肆意，而度制可以为天下仪。

【注释】

①衰世：道德衰败之世。凑学：舍本逐末的学说。

②矫拂：掩饰违逆。

③趋翔：趋附游走。

④诎（qū）：弯曲。节：关节。

⑤肉凝而不食：肉熟了很久，凝固了都不吃。

⑥酒澄而不饮：酒搁了很久，杂质澄清了都不喝。

【译文】

晚近之世道德衰败，人们趋附那些舍本逐末的学说，不懂得返璞归真，只晓得着意雕琢，掩饰违逆人的本性，以便和俗世往来。因此，他们眼睛本想看五颜六色，却有法度的禁止；内心本来喜欢享乐，却有礼节的制约；使人们只能趋炎附势，上下周旋，卑躬屈膝。肉都凝冻了都不敢吃，酒都澄清了也不敢喝。束缚了正常的行为，压抑了内在的德性，混乱阴阳二气的调和，压制生命的真情，所以最终成为可怜可悲的人。通达道体的人就不是这样，他们理顺性情，治理心术；用平和之气来调养性情，以恬淡安宁来持守心术。他们乐于大道而忘记自己的卑贱，安于大德而忘掉自己的贫穷；他们生性没有欲望，所以没有什么不能实现。他们本心不追求快乐，因而没有什么事是不快乐的；那些无益于本性的事他不拿来累及德性，不适宜纯洁天性的事他也不拿来侵扰内心。所以他身体放松、意念舒缓，这种修身养性的法则可以成为全天下的典范。

【原文】

今夫儒者不本其所以欲，而禁其所欲；不原其所以乐，而闭其所乐；是犹决江、河之源，而障之以手也。夫牧民[①]者，犹畜禽兽也，不塞其囿垣，使有野心；系绊其足，以禁其动，而欲修生寿终，岂可得乎？

【注释】

①牧民：治理百姓。

【译文】

现在的儒家不去探究人们产生欲望的原因，只是一味地禁止，不考察人们追求享乐的根源，只是一味地加以阻止，这种做法就像挖开了江河的源头，却又用手掌去阻挡一样。管理百姓好比豢养野兽，不好好堵塞墙垣的缺口，而让它们产生逃走的野心，又羁绊住它们的腿脚不让其乱动，这样对待百姓，还想使他们安享天年，哪能行呢？

【原文】

夫颜回、季路、子夏、冉伯牛，孔子之通学①也。然颜渊夭死②，季路菹于卫③，子夏失明④，冉伯牛为厉⑤，此皆迫性拂情，而不得其和也。故子夏见曾子，一臞⑥一肥。曾子问其故，曰："出见富贵之乐而欲之，入见先王之道又说之，两者心战，故臞；先王之道胜，故肥。"推此志非能贪富贵之位，不便侈靡之乐，直宜迫性闭欲，以义自防也。虽情心郁殪⑦，形性屈竭，犹不得已自强也，故莫能终其天年。若夫至人，量腹而食，度形而衣；容身而游，适情而行；余天下而不贪，委万物而不利；处大廓之宇，游无极之野；登太皇，冯太一，玩天地于掌握之中，夫岂为贫富肥臞哉？

【注释】

①通学：通晓孔子学说。

②颜渊夭死：颜回以德行见称孔门，三十二岁早夭。

③季路菹于卫：子路以勇武见称，仕于卫，在一场权力斗争中被剁成肉酱。菹，切碎。

④子夏失明：子夏长于文学，晚年因丧子痛哭而失明。

⑤冉伯牛为厉：冉有长于德行，得恶疾而死。厉，同"疠"，恶疮。

⑥臞（qú）：消瘦。

⑦殪（yì）：致死。

【译文】

虽然颜回、子路、子夏、冉有都是孔子的高徒，通晓孔子的学问。但是颜回早死，子路在卫国被剁成肉酱，子夏丧子恸哭失明，冉有生恶疮死了，他们都是因为强迫自己违背性情而损伤了元气所致。子夏见曾子，一会儿瘦一会儿胖。曾子问子夏这是为什么，子夏答道："我外出见到富人家那么快乐，所以也想富贵；回家后学习先王之道，又喜欢上了先王之道。这二者在内心世界里经常交锋，折腾得我瘦骨嶙峋，最后还是先王之道占了上风，所以我又胖了。"分析子夏的话，就可知道他并非不贪图富贵享受，只是在压抑自己的情感，用礼义廉耻来防范欲望。这样心情郁闷压抑，本性扭曲，还是不停地强迫自己，不能颐养天年。通达大道的至德圣人就不是这样了，他们根据饭量来进食，测量体型来穿衣；能容身的地方就去游玩，解放天性的事才去干；把天下丢给别人自己不贪得，抛弃万物而不求利；身处空旷无垠的天空，遨游在无边无际的境界；登上天空，凭借天道，将天地玩弄于手掌之中，哪里还会为贫富而伤神得一会儿瘦一会儿胖呢？

【原文】

故儒者非能使人弗欲也，欲而能止之；非能使人勿乐也，乐而能禁之。夫使天下畏刑而不敢盗，岂若能使无有盗心哉？

【译文】

所以儒家不能使人消解欲望，只是强行禁止欲望；不能使人忘记享乐，只是强迫禁止享乐。这种让天下人因畏惧刑罚才不敢偷盗的行为，哪里比得上教人从根本上不萌生偷盗念头的做法呢？

卷八　本经训

【题解】

本是根本的意思，经指的是常法。本经就是治国理政的根本常法。作者通过对治世和衰世的对比，阐明了只有掌握按照规律办事这一根本常法，才能治理好天下，儒家的仁义礼法不是根本常法。据此，作者还认为，君王要爱惜民力，无为而治。

【原文】

太清之治也，和顺以寂漠，质真而素朴，闲静而不躁，推移而无故；在内而合乎道，出外而调于义。发动而成于文，行快而便于物。其言略而循理，其行侻①而顺情。其心愉而不伪，其事素而不饰。是以不择时日，不占卦兆，不谋所始，不议所终。安则止，激则行。通体于天地，同精于阴阳。一和于四时，明照于日月，与造化者相雌雄。是以天覆以德，地载以乐。四时不失其叙，风雨不降其虐。日月淑清而扬光，五星循轨而不失其行。当此之时，玄元至砀而运照②，凤麟至，蓍龟兆，甘露下，竹实③满，流黄出而朱草生，机械诈伪，莫藏于心。

【注释】

①侻（tuō）：简易。

②玄元：指天道。砀（dàng）：大。运照：普照。

③竹实：竹子所结的果实。古人认为竹子开花结实为吉兆。

【译文】

古时圣人治理天下，顺着事物本性、清静无为，保持它们的本真面目而不加粉饰；他恬静闲适不浮躁，任凭事物自然发展而不用规矩去限制；他的内在精神符合大道，外在行为协同德性。他行为举动都合于法度，处事果决德泽万物。他言论简略合于事理，行为洒脱简易又顺遂性情。他心胸开阔愉快不虚伪，行事朴实简约不虚伪。所以，那时做任何事情都用不着占卜良辰吉日，不用考虑如何开始，也不必计较结果如何。事物安静不动，就随它们那样，事物激烈变动，就任其发展。他的形体和天地自然相通，精神和阴阳二气融合。中和之气与一年四季相和谐，神明与日月相辉映，整个身心和自然造化伴随交融。正因为这样，苍天将道德恩泽施予万物，大地提供乐土养育众生。四时不失其序，风雨不逞暴虐。日月清朗放射光芒，五星循轨不偏离正道。在这样的太平盛世，天道光辉普照，凤凰、麒麟也会降临门庭，占蓍草、卜龟甲都能显示吉兆，甘露普降，竹实饱满，流黄宝玉出现，朱草生于庭院，机巧伪诈根本没法潜入那晶莹剔透的心中。

【原文】

逮至衰世，镌山石，锲金玉，擿[①]蚌蜃，消铜铁，而万物不滋。刳[②]胎杀夭，麒麟不游；覆巢毁卵，凤皇不翔；钻燧取火，构木为台；焚林而田[③]，竭泽而渔；人械不足，畜藏有余；而万物不繁兆萌牙，卵胎而不成者，处于大半矣。积壤而丘处，粪田而种谷；掘地而井饮，疏川而为利；筑城而为固，拘兽以为畜；则阴阳缪戾，四时失叙；雷霆毁折，电霰降虐；气雾雪霜不霁，而万物燋夭。菑榛秽[④]，聚埒[⑤]亩；芟野菼[⑥]，长苗秀；草木之句萌、衔华、戴实而死者，不可胜数。

【注释】

①樀（tī）：通“擿”，挑开。

②刳（kū）：剖空。

③田：同“畋”，打猎。

④菑（zī）：除草。榛：丛木。秽：杂草。

⑤埒（liè）：田界。

⑥芟（shān）：割，除。菼（tǎn）：草名，初生的荻，似苇。

【译文】

到了道德衰败的时代，统治者驱使人民开凿山石采取金玉，雕刻金玉做成饰品，挑开蚌蛤摘取珍珠，熔铸铜铁制造器具，这样使自然资源大量消耗，万物不得正常繁衍。剖开兽胎，杀死幼兽，吓得麒麟不敢遨游；掀翻鸟巢，毁坏鸟蛋，使得凤凰不愿飞临；钻燧取火，伐木造楼；焚毁树林猎杀禽兽，放尽池沼捕捞鱼虾；人民缺乏基本生活物资，而国库内的物资储存却聚敛有余；各种物类都不能繁衍萌芽，鸟雀不能下蛋、兽类不能怀胎，在新生命即将诞生之时却惨遭杀戮，这种中途夭折的情况占了半数以上。人们积土造山，在山上居住，往田里施肥播种谷物；往地下掘井取水，疏通河道以求水利；修筑城墙以为屏障，捕捉野兽驯养成家畜；搞得自然界阴阳错乱，四季气候失去秩序；雷霆毁坏万物，冰雹降落成灾；大雾不散，霜雪不停，万物因此而枯萎夭折。铲除丛木杂草开垦荒地，割除野草栽种禾苗，已经萌芽、结果的草木都因此被毁掉，不计其数。

【原文】

及至分山川溪谷，使有壤界，计人多少众寡，使有分数[①]，筑城掘池，设机械险阻以为备，饰职事[②]，制服等[3]，异贵贱，差贤不肖[4]，经[5]诽誉，行赏罚，则兵革兴而分争生，民之灭抑夭隐[6]，虐杀不辜，而刑诛无罪，于是生矣。

【注释】

①分数：明确的人口数量。

②饰：整治。职事：官吏制度。

③服等：服饰等级。

④不肖：不贤。

⑤经：书写。

⑥抑：冤屈。隐：隐痛。

【译文】

之后又划分山河和国界，计算人口多寡，修建城池，设置关卡和险阻作为防备，创建官僚体制，制定服饰等级，分别贵贱贤愚，著书立说品评善恶，实施赏罚，于是战祸迭起，百姓遭受无数的冤屈隐痛，掌权者滥杀无辜、惩治无罪的情况也发生了。

【原文】

故圣人者，由近知远，而万殊为［一］。古之人同气于天地，与一世而优游。当此之时，无庆贺之利、刑罚之威，礼义廉耻不设，诽誉仁鄙不立，而万民莫相侵欺暴虐，犹在于混冥之中。逮至衰世，人众而财寡，事力劳而养不足，于是忿争生，是以贵仁。仁鄙不齐，比周朋党，设诈谞[1]，怀机械巧故之心，而性失矣，是以贵义。阴阳之情，莫不有血气之感，男女群居杂处而无别，是以贵礼。性命之情，淫而相胁，以不得已[2]，则不和，是以贵乐。

【注释】

①谞（xū）：机谋。

②以：若。已：止。

【译文】

所以，圣明的人能从身边的事推知遥远的事，把万物的千差万别视为没有差别。古代的人，正气贯通天地，与整个世界一起优哉游哉。在圣人治世的时代，既没有庆功封赏的诱惑，也没有刑法惩处的威逼，更不必设置礼义廉耻来约束，也没有对仁义和鄙陋的毁誉，百姓们互不侵犯，就像处在混沌的社会之中。到了社会道德衰败的时代，人多物少，人们付出很多，收获却很少，心生怨念，只为了生活而你争我夺，这时便要借助于“仁”来制止纷争。但社会中有人仁爱，有人则不，不仁的人还结党营私、心怀奸诈，失去天性，这时便要借助“义”来制止私心。社会中男女都有情欲，异性相吸引起情感冲动本是自然，但男女混杂不加分隔就会引起淫乱，这时便要借助“礼”来限制。人的性情如果过分宣泄就会威胁生命，心性不得调和之时，就必须借助“乐”来加以疏导。

【原文】

是故仁、义、礼、乐者，可以救败，而非通治之至也。夫仁者，所以救争也；义者，所以救失也；礼者，所以救淫也；乐者，所以救忧也。神明定于天下，而心反其初；心反其初，而民性善；民性善而天地阴阳从而包之，则财足；财足而人赡矣，贪鄙忿争不得生焉。由此观之，则仁义不用矣。道德定于天下而民纯朴，则目不营于色，耳不淫于声，坐俳[①]而歌谣，被发而浮游，虽有毛嫱、西施之色，不知悦也；《掉羽》《武象》[②]，不知乐也；淫泆[3]无别，不得生焉。由此观之，礼乐不用也。

【注释】

①坐俳（pái）：或坐着或起身来回走动。

②《掉羽》《武象》：周王朝乐舞名。

③淫泆（yì）：荒淫放荡。

【译文】

所以，仁、义、礼、乐，可以用来防范、制止某些方面的败德，但不是修身养性最根本的手段。提倡“仁”，用以防止纷争；提倡“义”，用来纠正狡诈、不讲信用；提倡“礼”，用于规范淫乱；提倡“乐”，用来疏通忧愁。依靠大道来安定天下，人心就会返回清静无欲的初始境界；人心一旦返回到这种境界，人民性情就会向善；人民性情善良后就会和天地自然融为一体，这样阴阳和谐有序、四季不乱、万物繁茂、财物充裕；人们的需求一旦满足，贪婪鄙陋、怨恨争斗也就不会滋生。由此看来，以道治天下，仁义就不用实施了。用德安定天下，百姓就会纯朴，眼睛不易受美色迷惑，耳朵也不会被淫声侵扰；人们或安闲地坐着歌唱，或悠闲地走着吟咏，或披散着长发去游荡，眼前即使有毛嫱、西施这样的美女，也没兴趣，演奏《掉羽》《武象》这样的乐舞，也让他们感到快乐，这样，荒淫放荡、男女淫乱的事情根本不可能发生。由此看来，用“德”来净化人心，礼乐就不需要了。

【原文】

是故德衰然后仁生，行沮[1]然后义立，和失然后声调，礼淫然后容饰[2]。是故知神明，然后知道德[3]之不足为也；知道德，然后知仁义之不足行也；知仁义，然后知礼乐之不足修也。今背其本而求于末，释其要而索之于详，末可与言至也。

【注释】

①沮：败坏。

②淫：繁滥。容：法度。饰：整治。

③道德：此处义偏作“德”，下句同。

【译文】

所以“德”衰败才有“仁”产生，品行败坏才有“义”出现，性情失和才用音乐调节，礼节繁乱同样也要有新法度的整治。因此，知道用“道”来治理天下，“德”就不值得提倡；知道“德”能净化人心，“仁义”就不值得实施了；懂得“仁义”有补偏救弊的作用，“礼乐”就不值得修治了。但如今却背弃了道的根本而去追求仁义礼乐这些细枝末节，放弃了简要的办法而去求繁芜琐碎的东西，这样的人是不能跟他谈论最高的大道的。

【原文】

故至人之治也，心与神处，形与性调；静而体①德，动而理通；随自然之性，而缘不得已之化。洞然无为，而天下自和；憺②然无欲，而民自朴；无禨祥而民③不夭，不忿争而养足；兼苞海内，泽及后世，不知为之者谁何。是故生无号，死无溢；实不聚而名不立。施者不德，受者不让，德交归焉，而莫之充忍也。故德之所总，道弗能害也；智之所不知，辩弗能解也。不言之辩，不道之道，若或通焉，谓之天府。取焉而不损，酌焉而不竭，莫知其所由出，是谓瑶光。瑶光者，资粮万物者也。

【注释】

①体：依照。

②憺（dàn）：淡。

③禨（jī）祥：求神祈福的活动。民：是。

【译文】

所以至德之人治理天下，心与神紧紧相依存，形与性相协调；安静时依存于德，行动起来符合理；顺着事物的本性，遵循事物的规律。他浑然无为，而天下却自然和顺；他恬淡无欲，那人们就纯朴无华；百姓不用向神明祈福，也不会夭折，不怨恨纷争，而养育充足；他的德泽遍及天下、延及后世，但人们却不知道施恩的人是谁。所以，至德之人活着没有名号，死了没有谥号；他不聚敛财物，也不追求名誉。施恩的人不自以为有恩德而要求报答，受恩惠的也不故作姿态地谦让，美德聚集归附到他身上，却不显得盈满。因此，德行聚集在身的人，说三道四也伤害不了他；智慧不能理解的事，能言善辩也无法解释清楚。不说话的辩才、不能指称的大道，如果有人能达到这种境界，那就是进了天府。里面无所不有，取之不尽，用之不竭，也不知道它产生的缘由，这就是瑶光。所谓瑶光，就是养育万物的意思。

卷九　主术训

【题解】

主是君主，术是指的道。主术说的是君王治国之道。作者认为，要实行无为而治，即按照自然和社会的规律治国理政。这里的无为而治是汉初时一种杂糅阴阳和儒、墨、名、法各家学说的黄老道家的治国理念。

【原文】

人主之术，处无为之事，而行不言之教；清静而不动，一度而不摇；因循而任下，责成而不劳。是故心知规而师傅谕导，口能言而行人称辞，足能行而相者先导，耳能听而执正进谏。是故虑无失策，谋无过事；言为文章，行为仪表于天下；进退应时，动静循理；不为丑美好憎，不为赏罚喜怒；名各自名，类各自类；事犹自然，莫出于己。故古之王者，冕而前旒[①]，所以蔽明也；黈纩塞耳[②]，所以掩聪；天子外屏，所以自障。故所理者远，则所在者迩；所治者大，则所守者小。

【注释】

①旒（liú）：皇冠前后下垂的玉珠，前面的能遮目，表示目不妄视。

②黈纩（tǒu kuàng）塞耳：古代帝王冠冕两边悬垂下来的黄色丝绵球，用以塞耳，表示耳不妄听。黈，土黄色。纩，丝绵。

【译文】

君主治理天下的手段，应该实行无为而治，无须说教去感化万民；君主自身应清虚安静不浮躁，坚持法度不动摇；遵循事物固有的特性不加干预，督促臣子而不是事事亲力亲为。因此，君主心里要藏有韬略却让国师来晓喻开导，能说会道却让行人之官去陈述，脚腿灵便却让赞礼之人去引导宾客，耳朵灵敏却由执政官员来转达百官计谋。这样，君主考虑问题就不会失策，办事也不会出错；说话言论合理，行为可作为天下的表率；进退合宜，动静遵循道理；不会因为事物的美丑而产生好恶之情，更不会因为赏罚而喜怒无常；事物叫什么名称就随它叫什么名称，属什么类别就让它属什么类别；是什么样子都是自然而然的，并不是个人意志所决定的。所以古代君主，冠冕前面装饰的一串珠玉，是用来遮挡视线的；冠冕两侧垂悬的黄色丝绵球，是用来堵塞耳孔的；天子宫外设立屏风，是用来阻隔自己、远离小人的。因此君主管辖的范围越远，所要明察的地方却越近；治理的国政越大，他所专注操持的事情却越简约。

【原文】

昔者神农之治天下也，神不驰于胸中，智不出于四域，怀其仁成之心。甘雨时降，五谷蕃植；春生夏长，秋收冬藏；月省时考，岁终献功；以时尝谷，祀于明堂。明堂之制，有盖而无四方，风雨不能袭，寒暑不能伤；迁延[①]而入之，养民以公。其民朴重端悫[②]，不忿争而财足，不劳形而功成，因天地之资，而与之和同。是故威厉而不杀，刑错而不用，法省而不烦，故其化如神。其地南至交阯[③]，北至幽都，东至汤谷，西至三危，莫不听从。当此之时，法宽刑缓，囹圄空虚，而天下一俗，莫怀奸心。

【注释】

①迁延：自由自在的样子。

②端悫（què）：正直诚实。

③交阯（zhǐ）：古地名，大约在今越南北部一带，泛指南方极远之地。

【译文】

从前神农氏统治天下，精神沉静而不躁动，智慧藏匿而不外露，只怀着一颗仁爱真诚之心。因而自然界甘雨按时节降落，五谷茂盛生长；春生夏长，秋收冬藏；按月按季考察民情，年末向祖宗神灵汇报丰收的喜讯；按季节尝吃新谷，在明堂祭祀祖宗。明堂的建筑式样，有天穹一样的圆形顶盖而无四面墙壁，但风雨却不能侵袭，寒暑也不能伤害；每当祭祀祖宗神灵时，神农氏率领百官随从从容坦荡地进入明堂，因为他用公心教育人民。他的民众朴素稳重、正直诚实，不互相争夺，仍然财物富足，也不用过分劳累身体而能大功告成，他凭借大自然的资助，他们的精神与天地相融会。所以，他尽管身处高位，却从不逞威逞凶；制定刑法政令，但却不必动用；法令简略而不繁杂，所以对民众的教化功效神奇。他的管辖范围南到交阯，北到幽都，东到汤谷，西到三危，没有人不听从。这时，法律宽大，刑罚轻缓，监狱空虚，天下风俗纯一，没有人怀有奸诈之心。

【原文】

末世之政则不然。上好取而无量，下贪狼[①]而无让；民贫苦而忿争，事力劳而无功；智诈萌兴，盗贼滋彰；上下相怨，号令不行；执政有司不务反道，矫拂其本而事修其末；削薄其德，曾累其刑，而欲以为治，无以异于执弹而来鸟，捭棁[②]而狎犬也，乱乃逾甚。

【注释】

①贪狼：贪婪乖戾。

②棁（zhuō）：短棍。

【译文】

末世的政治就不是这样的了。君主贪得无厌，官吏横征暴敛不懂谦让；民众贫困不堪还被迫怨恨争夺，辛辛苦苦却得不到报酬；智巧奸诈从此兴起，盗贼开始滋生；上下相怨，法令不能实施；政府各级官员不致力于归依天道，违背治国的根本，只注意修饰细枝末节；德政被破坏殆尽，刑罚却不断加强，还想就这样治理好天下，无异于手拿弹弓却想招引鸟雀，袖藏木棍却想与狗玩耍，只会更乱。

【原文】

夫水浊则鱼噞[①]，政苛则民乱。故夫养虎豹犀象者，为之圈槛[②]，供其嗜欲，适其饥饱，违其怒恚[③]，然而不能终其天年者，刑有所劫也。是以上多故则下多诈，上多事则下多能，上烦扰则下不定，上多求则下交争。不直[④]之于本，而事之于末，譬犹扬堁而弭[⑤]尘、抱薪以救火也。

【注释】

①噞（yǎn）：鱼因缺氧而浮出水面呼吸的样子。

②圈槛（juàn jiàn）：关养兽类的栅栏。

③恚：怒。

④直：通“植”，立。

⑤堁（kè）：尘土。弭：止。

【译文】

水浑浊了，鱼儿就会浮出水面呼吸喘气，政令烦琐苛刻，民众也会动乱不安。所以那些驯养虎、豹、犀牛、大象的人，给它们修了栅栏，供给它们爱吃的食物，适时投放不让它们挨饿，让它们驯服，但就是不能使它们安享天年，这是因为动物的身体受到了强制的约束。因此，在上的君主狡诈多端，在下的臣民也会跟着奸诈；在上的君主无事生非，在下的臣民也会无事生非；在上的君主心神不宁，在下的臣民也会受干扰而不安定；在上的君主贪欲过甚，在下的臣民也会喜欢争斗。不立足根本而去追求细枝末节，就好像扬起尘土来却想要消除灰尘、抱着干柴去救火一样。

【原文】

故至精之所动，若春气之生，秋气之杀也，虽驰传骛置[①]，不若此其亟。故君人者，其犹射者乎？于此豪末，于彼寻常矣，故慎所以感之也。夫荣启期一弹，而孔子三日乐，感于和；邹忌一徽，而威王终夕悲，感于忧。动诸琴瑟，形诸音声，而能使人为之哀乐。县法设赏，而不能移风易俗者，其诚心弗施也。宁戚商歌车下，桓公喟然而寤[②]矣，至精入人深矣。

【注释】

①驰传（zhuàn）：驾上传车快跑。传，传车。骛置：放开跑。骛，快跑。

②寤：通“悟”。

【译文】

所以，最精纯的精神感化作用，就像春天生长、秋天肃杀一样，哪怕是驾上传车放开奔跑，都不如它速度快。所以，君主管理人民，就像射箭一样，瞄准时的毫发之差，都会造成最后极大的误差，因此要慎重地对待精神的感化作用。荣启期弹了一支旷达的乐曲，孔子听后快活了三天，这是因为孔子受到了平和之情的感染；邹忌挥手弹拨一曲，齐威王听后悲伤了一整夜，这是因为齐威王受到了忧伤之情的感动。感情通过乐音表现出来，人听后就会引起悲哀或快乐。而颁布法令、设置奖赏，却不能移风易俗，这是因为实施赏罚的人不是靠真诚的心。宁戚在牛车下唱起商调悲歌，齐桓公听后就感悟了，明白了宁戚的苦衷，最终任他为官，可见最精粹的精神感化人心的作用是多么大。

【原文】

故曰：乐，听其音，则知其俗；见其俗，则知其化。孔子学鼓琴于师襄，而谕文王之志，见微以知明矣。延陵季子听鲁乐，而知殷、夏之风，论近以识远也。作之上古，施[1]及千岁，而文不灭，况于并世化民乎？

【注释】

①施（yì）：及，延及。

【译文】

所以说，能懂音乐，也就能了解其中蕴含的思想内容和风俗习惯，也就明白它所具有的感化作用。孔子向师襄学习弹琴，从中明白了周文王的志向，这是孔子通过微妙的音符而领悟出的大道理。延陵季子从欣赏鲁国的传统音乐中了解了殷、夏的风俗习惯，这是由近处来知晓远处。这些创作于上古的乐章，流传千年而不磨灭，还能给人以启迪，更不用说这些音乐在当时的感化作用了。

【原文】

汤之时，七年旱，以身祷于桑林之际，而四海之云凑，千里之雨至。抱质效诚，感动天地，神谕方外。令行禁止，岂足为哉？

【译文】

商汤的时候，连续七年干旱，汤亲自到桑林中祈祷上苍，很快四海之内的乌云密布，方圆千里大雨降临。可见，怀着质朴之心，就能感天动地，神奇地感化四面八方；靠行政命令来规定人们的行为，哪里有这样神奇的功效呢？

【原文】

古圣王至精形于内，而好憎忘于外；出言以副①情，发号以明旨；陈之以礼乐，风之以歌谣；业贯万世而不壅②，横扃③四方而不穷；禽兽昆虫，与之陶化，又况于执法施令乎？

【注释】

①副：符合。

②业贯：积累。壅：堵塞。

③横扃：横贯。扃，门闩。

【译文】

古代圣王最精纯的精神形成于内心，好恶之情就被抛到九霄云外了；他的言语合乎真情，发布号令从阐明仁慈的旨意；通过礼乐教化民心，运用歌谣讽喻风俗；这种精神感化持续万代也不会停止，横贯四方也不会穷尽；就连禽兽昆虫也受到教育感化，更何况由这样的圣王执法施令，天下谁能不听从呢？

【原文】

故太上①神化，其次使不得为非，其次赏贤而罚暴。

【注释】

①太上：最重要。

【译文】

所以治理天下，最重要的是从精神上感化，其次是用仁义礼法来约束民众，使他们不做错事，而用奖赏贤才、惩罚暴虐的方法来治理乃是最下策。

【原文】

衡之于左右，无私轻重，故可以为平。绳之于内外，无私曲直，故可以为正。人主之于用法，无私好憎，故可以为命。夫权轻重，不差蚊首；扶拨枉桡[1]，不失针锋；直施[2]矫邪，不私辟险；奸不能枉，谗不能乱；德无所立，怨无所藏，是任术而释人心者也。故为治者不与焉。

【注释】

①扶拨：治理。枉桡：弯曲。这里指枉法导致的冤屈。

②直：使直。施（yì）：歪邪。

【译文】

秤对于所称之物来说，不会根据自己的私心来改变轻重，因此可以做到平衡。墨绳对于所量之物来说，也不会凭自己的私心来决定曲直，因此可以做到端正。君主用法不因为爱憎就改变执法标准、量刑尺度，所以他才能实施法制政令。权衡轻重，哪怕是蚊子头那么小的误差也不能发生；矫正枉屈，哪怕是针尖那么小的误差也不能发生；纠正歪邪，不以私心回避风险；奸诈小人不能使他枉法，谗言之人不能使他乱法；执法苛刻严明，结果必然是恩德无法树立，怨恨反而滋生，这种凭法术治国而失去人心的做法。因此，治理天下的君主是不会采用的。

【原文】

夫人主之听治也，清明而不暗，虚心而弱志，是故群臣辐凑[①]并进，无愚智贤不肖，莫不尽其能。于是乃始陈其礼，建以为基，是乘众势以为车，御众智以为马，虽幽野险涂则无由惑矣。人主深居隐处，以避燥湿；闺门重袭，以避奸贼。内不知闾里之情，外不知山泽之形、帷幕之外，目不能见十里之前，耳不能闻百步之外，天下之物无不通者，其灌输之者[②]大，而斟酌之者众也。是故不出户而知天下，不窥牖而知天道。乘众人之智，则天下之不足有也。专用其心，则独身不能保也。

【注释】

①辐凑：车轮的辐条聚集于轴心。

②灌输之者：传递信息的渠道。

【译文】

君主治理政务，清明而不糊涂，心胸虚静而心志温和，这样群臣就会像车辐围绕着车轴一样辅佐君主，不管是愚笨的还是聪明的、贤能的还是不才的，无不各尽其力。达到了这种境界，才谈得上君臣礼节，建立和谐的君臣关系，作为治理天下的基础。如果君主善于充分利用众人的力量和智慧，并且驾驭自如，这样即使到了幽暗险要之地，也不会迷失。君主深居以避燥热寒湿，关闭室门以避奸佞。他没亲眼看过巷里民情，也没有亲自巡视过山川形势，他看不到居室以外，听不清十里开外，可是天下事物却无所不知，这是因为向他输送信息的渠道广阔畅通，替他出谋划策的人又很多。所以他足不出户便能知天下事，眼不窥窗便能知晓天象。充分聚集发挥众人的智慧才能，这天下再大也不够他治理的了。如果只凭借个人的智力，可能连自身都难保全。

【原文】

是故人主覆之以德，不行其智，而因万人之所利。夫举踵[①]天下而得所利，故百姓之上，弗重也；错[②]之前，而弗害也；举之，而弗高也；推之，而弗厌。

【注释】

①举踵：抬脚。比喻轻易，不费力。

②错：通“措”，放置。

【译文】

所以，君主用道德来治理天下，不只运用个人的智慧，而是依顺万民的利益来办事。所以他只要抬起脚后跟就能让天下人获得利益，这样，百姓将君主顶在头上也不会感到压迫，放在眼前也不会感到碍事，举过头顶也不会感到他高高在上，推崇他也不会产生厌烦。

【原文】

主道员者，运转而无端，化育如神，虚无因循，常后而不先也。臣道员者，运转而无方者，论是而处当，为事先倡[①]，守职分明，以立成功也。是故君臣异道则治，同道则乱，各得其宜，处其当，则上下有以相使也。夫人主之听治也，虚心而弱意，清明而不暗。是故群臣辐凑并进，无愚智贤不肖，莫不尽其能者，则君得所以制臣，臣得所以事君，治国之道明矣。

【注释】

①先倡：走在前面。

【译文】

治国方法要灵活圆通，周而复始而运转不停，孕育万物神妙无比；虚无恬静，随着事物的本性，常居后而不争先。下属大臣办事方方正正，正确恰当，遇事抢先干，职责分明不推诿，以此来建立功绩。所以君王实行无为之道，臣子实行有为之道，君臣异道天下太平；反之，君臣同道天下就会乱套，这是说君主要清静无为，臣子要恪尽职守，各自处在恰当的位置上，这样上下才能默契合作、互相促进。君主治理政务，心胸虚静而心志温和，清明而不糊涂，这样群臣就会像车辐围绕着车轴一样辅佐君主，不管是愚笨的还是聪明的、贤能的还是不才的，无不各尽其力，这样君主便能充分驾驭群臣，群臣能充分效力君主，治国之道就是这样明确。

卷十　缪称训

【题解】

缪通谬，指谬误。缪称的意思是假借同类事物，摒弃谬误的说法，汇合到道德之中。作者认为，儒家的仁义只是道家道德衰落后的产物。世界万事万物都有规律可循，只有把握矛盾双方相互转化的关系，才能治好国、理好政。

【原文】

主者国之心，心治则百节皆安，心扰则百节皆乱。故其心治者，支体相遗也；其国治者，君臣相忘①也。黄帝曰："芒芒昧昧②，从天之道，与元③同气。"故至德者，言同略，事同指④。上下壹心，无歧道旁见者，遏障之于邪，开道之于善，而民乡方⑤矣。故《易》曰："同人于野，利涉大川。"

【注释】

①君臣相忘：指君臣各安其位，互不干扰。

②芒芒昧昧：纯厚广大的样子。芒，通"茫"。

③元：天。

④指：通"旨"，意旨。

⑤乡：通"向"。方：正道。

【译文】

君主是国家的心脏，心脏功能健全，全身的筋骨脉络就畅通；心脏节律紊乱，全身的血脉也随之紊乱。因此，如果一个人的心脏功能健全，肢体也就相安无事；一个国家治理得好，君臣就各安其位。黄帝说："至德之人纯厚广大，他能顺承上天的德泽，精气能与上天的元气相通。"所以，至德之人的谋略与臣民不谋而合，没有意见上的分歧，也就能堵塞歪门邪道，开启行善之道，使人民都能朝正道上走。所以《易经》说："君主在郊外聚集民众准备出征，由于上下同心，就一定能跋涉山川渡过难关，最终获胜。"

【原文】

道者物之所导也，德者性之所扶也，仁者积恩之见证也，义者比①于人心，而合于众适者也。故道灭而德用，德衰而仁义生。故尚世体道而不德，中世守德而弗怀也，末世绳绳乎②唯恐失仁义。君子非仁义无以生，失仁义，则失其所以生。小人非嗜欲无以活，失嗜欲，则失其所以活。故君子惧失义，小人惧失利。观其所惧，知各殊矣。《易》曰："即鹿无虞，惟入于林中。君子几，不如舍，往吝③。"

【注释】

①比（bì）：紧挨着。众适：合众人的心意。

②绳绳乎：小心的样子。

③"即鹿"四句：《易经》"屯"卦"六三"的爻辞。大意是说君子处于险难之境，不可有所往。即，追逐。鹿，比喻利。虞，掌管山林的官员。几，追求。舍，弃。吝，难。

【译文】

道，是对万物的引导；德，是对天性的扶助；仁，是恩惠厚重的表现；义，是统合人心、合乎众人意愿。所以道消亡后就用德来取代，德衰微了就产生了仁义。因此，远古圣人之治依靠道而非德，中古圣王之治谨守德而不用仁义去怀柔远方，近世贤王治国是小心谨守仁义而唯恐失去。君子没有了仁义就没法活下去，失去了仁义就等于失去了生存的条件；小人没有了嗜欲就无法活命，丧失了嗜欲就等于要了他的命。所以君子害怕失掉仁义，小人则害怕失去利益。观察他们害怕什么，就知道君子和小人的不同了。《易经》说："追逐鹿而得不到虞人的帮助，就是追进深山老林也得不到。君子懂得追求不到还不如舍弃，因为继续追下去，危险就在前面等着他。"

【原文】

君子见过忘罚，故能谏；见贤忘贱，故能让；见不足忘贫，故能施。情系于中，行形于外。凡行戴①情，虽过无怨；不戴其情，虽忠来恶。后稷广利天下，犹不自矜；禹无废功，无蔽财，自视犹觖②如也。满如陷③，实如虚，尽之者也。

【注释】

①戴：通"载"，含着。

②觖（jué）：不满。

③陷：缺少。

【译文】

君子看到别人的过失就忘记了批评别人可能会招致责罚，因此他直言进谏；君子发现贤才便忘记举荐贤才可能会使别人的地位高过自己，所以他乐意让贤；君子看到衣食不足的人就忘记接济别人会穷了自己，所以他慷慨解囊。内心维系着真情，就会在行动中表现出来。言行饱含真情，即使有过失，别人也不会怨恨；言不由衷，就是装出一副忠诚的样子，也会招人厌恶。后稷为天下人谋利，却从来不夸耀自己；夏禹治水没有白费民力民财，但他从不自满。他们都是在完满中看到缺陷，在充实中看到不足，因为他们要求自己尽善尽美。

【原文】

凡人各贤其所说，而说其所快。世莫不举贤，或以治，或以乱，非自遁①，求同乎己者也。己未必得贤，而求与己同者，而欲得贤，亦不几矣。使尧度舜则可，使桀度尧，是犹以升量石也。今谓狐狸②，则必不知狐，又不知狸。非未尝见狐者，必未尝见狸也。狐、狸非异，同类也。而谓狐狸，则不知狐、狸。是故谓不肖者贤，则必不知贤；谓贤者不肖，则必不知不肖者矣。

【注释】

①遁：欺骗。

②狐、狸：两种动物。“狸”属猫科，指狸子、山猫，“狐”属犬科，即今天所说的狐狸。狐、狸二者习性相似，故后人多混同之。

【译文】

一般说来，人们都欣赏自己喜欢的人，而自己喜欢的人又能让自己愉快。世上没有人不举荐他们以为贤能的人，但所举荐的人有的能把事办好，有的却会把事搞砸，这些并不是举荐人才时自己欺骗自己，而是所举荐的人只要求合乎自己的喜好。可是你自己的水平并不一定高，按你的喜好去寻求人才时，所得的人就不一定是真贤才。好比让尧去鉴识舜，当然是可以的；但如果让桀去衡量尧，就好像用升去度量一石粮食，没法弄清楚。现在一般人都习惯说“狐狸”，实际上他们既不知道“狐”是什么，也不知道“狸”是什么；他们不是没有见过狐，就一定是没有见过狸。狐和狸不是异类，但因为习性相近而属同一大类。可是人们混称“狐狸”，可见他们根本不知道什么是狐、什么是狸。所以把不贤的人称为贤人，就足见他一定不明白什么叫贤；把贤才说成不贤，那他一定也不明白什么叫不贤。

【原文】

圣人在上，则民乐其治；在下，则民慕其意。小人在上位，如寝关曝纩①，不得须臾宁。故《易》曰：“乘马班如，泣血连如②。”言小人处非其位，不可长也。

【注释】

①关：机关。曝纩（kuàng）：暴晒蚕茧，蛹虫挣扎其内，至死方休。曝，暴晒。纩，蚕茧。

②“乘马”二句：《易经》“屯”卦上六爻辞，大意是说人处于危亡之境，危在旦夕。班，通“盘”，盘旋，徘徊。

【译文】

圣人处在统治地位，百姓乐意接受他的治理；圣人不在统治地位，百姓也会钦慕他的思想。如果小人占据统治地位，百姓就会像睡在机关上，又像暴晒着的蚕茧，片刻不得安宁。所以《易经》说：“骑在马上徘徊不定，面临险境血泪淋漓。”说的是小人占着他不该占据的位置，导致百姓的日子过不下去，小人的地位也不可能长久。

【原文】

物莫无所不用。天雄乌喙①，药之凶毒也，良医以活人。侏儒瞽师②，人之困慰者也，人主以备乐。是故圣人制其剟材③，无所不用矣。

【注释】

①天雄：药名，有剧毒，入药能治恶疾。乌喙（huì）：即乌头，有剧毒，

入药能治恶疾。

②瞽（gǔ）师：盲乐师。

③制其剟（duō）材：即“制剟其材”。制，裁取。剟，砍削。

【译文】

没有什么物件是无用的。天雄和乌头尽管是草药中剧毒的两类，但高明的医生却能用它们来救人性命。侏儒和盲人，是最困窘愁郁的人，但君主用他们当优伶、乐师。因此君主圣人如同巧匠裁取砍削木材一样，没有什么材料会被弃舍不用。

【原文】

身君子之言，信也；中君子之意，忠也。忠信形于内，感动应于外，故禹执干戚，舞于两阶之间，而三苗服。鹰翔川，鱼鳖沉，飞鸟扬，必远害也。子之死父也，臣之死君也，世有行之者矣，非出死以要[①]名也，恩心之藏于中，而不能违其难矣。故人之甘甘，非正为蹠[②]也，而蹠焉往。君子之惨怛[③]，非正为伪形也，谕乎人心，非从外人，自中出者也。义尊乎君，仁亲乎父。故君之于臣也，能死生之，不能使为苟简易[④]；父之于子也，能发起之，不能使无忧寻[⑤]。故义胜君，仁胜父，则君尊而臣忠，父慈而子孝。

【注释】

①要：通“邀”，取得。

②正：仅。蹠（zhí）：这里指愿望。

③惨怛（dá）：忧伤悲痛。

④苟简易：迎合君主意图而改变道义。

⑤忧寻：子女对父母的忧虑挂念。寻，通“憛（tán）”，思。

【译文】

能够亲身践行君子说的话，叫作信；能够符合君子的意志，叫作忠。忠和信在内心形成，就会对外界产生感化作用。所以禹手执盾牌、大斧在宫廷台阶前跳起舞，使三苗臣服。老鹰在江河上空盘旋，鱼鳖慌忙沉入水底，鸟儿也远走高飞，这些都是因为它们要远离祸害。儿子能为父亲去死，臣子能为君主舍命，这些事情每个朝代都有，但他们不是为了用死来邀取名利，而实在是他们内心有感恩之情，所以才不会躲避死难。所以，人们情愿去做一件自己乐意的事情，尽管并非为了实现某种目的，可是目的却常常实现；君子忧伤悲痛，也并非装装样子，所以能够得到理解。他们的这些情感不是迫于外力，而是真的产生于内心。义比君王重要，仁比父亲更亲近。所以，君王对臣下，可以有权决定他们的生死，但不能让重义的臣下迎合他而改变道义；父亲对儿子，可以呼来唤去，但不能让讲孝道的儿子不为父母忧虑挂念。所以，我们将仁义置于君父之上，那么就会君尊臣忠、父慈子孝了。

【原文】

怀情抱质，天弗能杀，地弗能埋也。声扬天地之间，配日月之光，甘乐之者也。苟乡善，虽过无怨；苟不乡善，虽忠来患。故怨人不如自怨，求诸人不如求诸己，得也。声自召也，貌自示也，名自命也，文自官[①]也，无非己者。操锐以刺，操刃以击，何怨乎人？故管子文锦也，虽丑登庙[②]；子产练染也，美而不尊。虚而能满，淡而有味，被褐怀玉者。故两心不可以得一人，一心可以得百人。男子树兰，美而不芳；继子得食，肥而不泽[③]，情不相与往来也。

【注释】

①文：文辞，言辞。官：效法。

②虽丑登庙：未详其事，可能指管仲的不拘小节。

③泽：通“怿”，高兴而充满神采的样子。

【译文】

怀有真情，拥抱质朴，上天不能扼杀，大地无法埋没。声威传扬于天地间，可以和太阳、月亮的光辉相比，这是美好而又快乐的事啊。如果能向善，虽然做错事，别人也不会埋怨；如果不能向善，即使忠心也会招来祸患。所以怨天尤人不如责怪自己，要求别人不如要求自己。声音是自己发出来的，模样是自己显示出来的，名声是自己确定下来的，官位是凭借自己取得的，没有什么不取决于自己的努力。拿着锋利的宝剑刺伤别人，闯下偌大的祸，怎么可以怨别人不避开你的刀剑？所以管仲虽然不拘小节，有很多不光彩的行为，但他胸怀壮志，最终成就功业、锦衣玉食，政绩载于齐国的宗庙之中；子产尽管平时仁慈宽厚，近乎妇人之仁，但未能成就大业、享受尊贵。看上去空荡荡，实际上却很充实，乍一口清淡无味，细细品尝却回味无穷，那些身着粗布短衣却怀揣宝玉的人就是这样。所以，情不专一的人连一个朋友都难以得到，感情专一的人却能得到上百人的喜欢。男人种出的兰草，看似艳丽却没有芳香；后娘养育的小孩，看似健壮却没有神采，这是因为双方都缺乏天然的情感沟通。

【原文】

生所假也，无所归也。故弘演直仁而立死，王子闾张掖①而受刃，不以所托害所归也。故世治则以义卫身，世乱则以身卫义。死之日，行之终也，故君子慎一用之。无勇者，非先慑也，难至而失其守也；贪婪者，非先欲也，见利而忘其害也。虞公见垂棘之璧，而不知虢祸之及己也。故至道之人，不可遏夺也。

【注释】

①掖：通“腋”，腋下。

【译文】

生命只是暂时寄托在人世，死亡才是必然的归宿。所以弘演面对仁义毫不犹豫地牺牲，王子闾张开双臂毫无惧色地承受刀剑，他们都不苟且偷生因而死得其所。所以处在治世就用义来维护自己的纯洁，处于乱世就用献身来维护义，乃至不惜牺牲生命。这条原则要坚持到死的那天为止，君子在这个问题上很谨慎。没有勇气的人，并不是生来就胆怯，而是面对灾难不能坚持操守；贪得无厌的人，并不是生来就欲壑难填，只是看到了利益而忘掉了危害。虞国国君看到晋国送上的垂棘宝玉，就忘掉了虢国灭亡的灾难将很快殃及自身。所以只有通达大道的人，才不会改变或阻遏他的信念。

【原文】

人之欲荣也，以为己也，于彼何益？圣人之行义也，其忧寻出乎中也，于己何以利？故帝王者多矣，而三王独称；贫贱者多矣，而伯夷[①]独举。以贵为圣乎？则圣者众矣。以贱为仁乎？则贱者多矣。何圣、仁之寡也？独专之意。乐哉忽乎！日滔滔以自新，忘老之及己也，始乎叔季，归乎伯孟，必此积也。

【注释】

①伯夷：商末孤竹君长子，与弟叔齐互相让位。最后二人投周，反对

武王伐纣。并见《史记·伯夷列传》。

【译文】

一般人想得到荣耀，都是为了自己，对别人没有什么好处。圣人行义事，他的忧思出自内心，对他本人又有什么好处呢？所以自古以来帝王够多了，但只有夏禹、商汤、周文王受人称颂；社会上贫贱的人够多了，但只有伯夷被抬举得很高。如果说地位尊贵的人就是圣人，那么天下的圣人会多得不得了；如果说地位贫贱者都是仁者，那么天下的仁者也多得不得了了。实际上圣人、仁人很少，这是为什么呢？因为要想成为圣人、仁人，必须全心全意、心甘情愿地行善，如滔滔奔流的江河，每天都要有长进，甚至忘记衰老将向自己逼近，开始时收获微小，最终会有很大的收获，而这种过程必须长期坚持不懈。

卷十一　齐俗训

【题解】

齐俗就是使各地不同的风俗制度整齐划一。作者发挥了《庄子·齐物论》的思想，认为“率性而行谓之道，得其天性谓之德”，而万物各有其性，只有“各便其性”，才能以道齐俗。

【原文】

广厦阔屋，连闼通房，人之所安也，鸟入之而忧；高山险阻，深林丛薄，虎豹之所乐也，人入之而畏；川谷通原，积水重泉，鼋鼍之所便也，人入之而死；《咸池》《承云》《九韶》《六英》，人之所乐也，鸟兽闻之而惊；深溪峭岸，峻木寻枝，猿狖之所乐也，人上之而慄。形殊性诡，所以为乐者，乃所以为哀；所以为安者，乃所以为危也。

【译文】

高楼大厦，重门相通，层层相连，这是人们安居的地方，但鸟儿飞进去就会忧虑不安；高山险阻、草木丛生之地是虎豹的乐园，人进去后就会心生畏惧；深谷渊泉，是鼋鼍自由生长的处所，人一旦掉进去就会溺死；《咸池》《承云》《九韶》《六英》是人所喜爱的古乐，但鸟兽听到了就会受惊；深谷陡崖、高木长枝是猿猴喜欢的地方，但人爬上去就会心惊胆战。这是因为形体不同，习性有差异，人类以为快乐的，鸟兽以为悲哀，鸟兽觉得安全的，人类会认为很危险。

【原文】

乃至天地之所覆载，日月之照诏[①]，使各便其性，安其居，处其宜，为其能。故愚者有所修，智者有所不足。柱不可以摘齿，筐[②]不可以持屋，马不可以服重，牛不可以追速，铅不可以为刀，铜不可以为弩，铁不可以为舟，木不可以为釜，各用之于其所适，施之于其所宜，即万物一齐，而无由相过。夫明镜便于照形，其于以函食不如箪[③]；牺牛粹毛，宜于庙牲，其于以致雨，不若黑蜧[④]。由此观之，物无贵贱，因其所贵而贵之，物无不贵也；因其所贱而贱之，物无不贱也。

【注释】

①照诏（jì）：这里指照耀。

②筐：小簪。

③箪：蒸物用的炊箪。

④黑蜧（lì）：传说中一种能兴风雨的神蛇。

【译文】

于是苍天覆盖、大地承载、日月照亮，才使万物各自有适宜自己天性的环境，有安稳的住所，发挥各自的才能。所以愚笨的人有他的长处，聪明人也有他的短处；柱子不可以用来剔牙，发簪不可以用来架房；马不能用来负重，牛也难以快跑；铅不能用来铸刀，铜不能用来造弩；铁不能用来造船，木不能用来做锅。万物各有其适宜的范围，只有把它们放在恰当的地方，才能发挥各自的作用，万物在有用这一点上是一致的，所以不能说长道短、厚此薄彼。明镜便于照形，但将它放在盒子里蒸食物，就比不上竹箪了；牺牛毛色纯一，适宜祭祀，但用它来求雨，就不如灵蛇了。由此看来，物类无所谓贵贱，抓住它可贵的一点来判定它们贵重，就没有什么东西不是贵重的；抓住低贱的方面来判断它们的低贱，就没有什么不低贱了。

【原文】

故尧之治天下也，舜为司徒，契为司马，禹为司空，后稷为大田师，奚仲为工。其导万民也，水处者渔，山处者木，谷处者牧，陆处者农。地宜其事，事宜其械，械宜其用，用宜其人。泽皋①织网，陵阪耕田，得以所有易所无，以所工易所拙。是故离叛者寡，而听从者众。譬若播棋丸于地，员者走泽，方者处高，各从其所安，夫有何上下焉？若风之过箫也，忽然感之，各以清浊应矣。夫猿狖得茂木，不舍而穴；狟狢得埵防②，弗去而缘。物莫避其所利，而就其所害。

【注释】

①泽皋：沼泽地。

②狟（huán）：同“貆”，幼貉，又指豪猪。狢（hé）：同“貉”，栖息山林，昼伏夜出。埵（chuí）防：堤防。

【译文】

所以尧帝治理天下，任命舜为司徒，主管教化万民；任命契为司马，主管军务；任命禹为司空，主管土木工程；任命后稷为大田师，主管农业；奚仲为工师，掌管百工。尧帝领导万民，让住在水边的从事渔业，住在山林的从事林业，住在谷地的从事牧业，住在平原的从事农业。各种地方都有适合的行业，各种行业又有适合的器械工具，各种器械工具又都能派上适当的用途，各种用途又有相应的人才。沼泽地区的人编织渔网，捕鱼捞虾，丘陵地带的人耕种田地，生产粮食布帛，这样就能用自己所有的物品去换没有的物品，用自己生产的物品去换不会生产的物品。所以，离叛的人少而听从的人多。好比将棋子和弹丸撒在地上，圆形的滚入低洼处，方形的停留在高处，各自有安稳的归宿，有什么高低贵贱之分呢？如同疾风吹过箫管，振动空气，使长短不一的竹管发出高低、清浊不同的乐音。猿猴找到茂密的树林，就不愿舍弃而去打洞；貉与豪猪有了堤坝上的洞穴，就不愿离开再去攀缘树木筑巢。万物都不会避开对自己有利的而去接受对自己有害的东西。

【原文】

凡以物治物者不以物，以睦；治睦者不以睦，以人；治人者不以人，以君；治君者不于君，以欲；治欲者不于欲，以性；治性者不于性，以德；治德者不以德，以道。原人之性，芜涉①而不得清明者，物或堁②之也。羌、氐、僰③、翟，婴儿生皆同声，及其长也，虽重象、狄騠，不能通其言，教俗殊也。今令三月婴儿，生而徙国，则不能知其故俗。由此观之，衣服礼俗者，非人之性也，所受于外也。夫竹之性浮，残以为牒，束而投之水则沉，失其体也。金之性沉，托之于舟上则浮，势有所枝也。夫素之质白，染之以涅则黑；缣④之性黄，染之以丹则赤。人之性无邪，久湛⑤于俗则易。易而忘其本，合于若性。故日月欲明，浮云盖之；河水欲清，沙石涉之；人性欲平，嗜欲害之，惟圣人能遗物而反己。夫乘舟而惑者，不知东西，见斗、极则寤矣。夫性亦人之斗、极矣，以有自见也，则不失物之情；无以自见，则动而惑营，譬若陇西之游，愈躁愈沉。孔子谓颜回曰："吾服汝也忘，而汝服于我也亦忘。虽然，汝虽忘乎，吾犹有不忘者存。"孔子知其本也。

【注释】

①涉：通“秽”，污浊。

②堁（kè）：尘土，这里指污染，蒙蔽。

③僰（bó）：古代西南部族。

④缣（jiān）：黄色的细绢。

⑤湛（jiān）：浸泡。

【译文】

万物的生存和发展，不取决于万物本身，而取决于土地；治理土地又不在于土地本身，而在于人民；治理人民不在于人民，而在于君王；君王要调治的不在于表面的言行，而在于欲念；摒除欲念不在于消极压抑，而在于修炼性情；修炼性情不在于性情本身，而在于达到“德”的要求；达到“德”的要求还不是最高境界，能与大道融合才是最高境界。探究一下人性的发展变化就能够明白，人性变得污浊而不清净，是因为受到外界的蒙蔽。羌、氐、僰、翟各个部落，他们生出的婴儿哭声相同，但等到长大以后，只能通过翻译才能通话，离开翻译就不能沟通，这是由于从小受的教养和习俗不同。现在令出生三个月的婴儿，迁往其他国家，他就无法知道原有的习俗了。由此看来，服饰礼仪风俗，不是生而有之的，而是接受外界影响后才形成的。竹子的特性是能浮于水面，但一旦被削成竹简，捆成一束扔进水中，就会下沉，这是因为经过砍削破坏了竹子中空的本性。金属入水便沉，但放在船上，就会随船漂浮，这是因为金属物有了船的依托。洁白的生绢，用涅染过就会变黑；黄色的细绢，用朱砂一染就变成红色；人的本性本来纯真无邪，长期处于坏的习俗中，就会濡染变质，一旦改变也就忘掉了本性，反而和他周围的人合拍了。所以说，日月总要发光的，但浮云遮蔽了它；河水原本是清澈的，但泥沙使它污浊；人的天性是平和的，是欲望侵扰了它。正因为这样，圣人能抛开外物诱惑而回归到平和的本性。人们乘船夜航，迷失了方向，分不清东西南北，但看到北斗星和北极星后就会醒悟。平和淡泊的本性就是人心中的北斗星和北极星。能够发现平和的本性，就不会丧失事物的常情；不能发现平和的本性，就会迷乱于外物的诱惑，好比去遥远的陇西游玩，越急躁就越累。孔子对颜回说："我以前的那些言行，你可以忘掉；你向我学到的那些言行，我也要忘掉。虽然如此，你忘掉以前的我，我还有可值得记取的新精神在呢！"孔子是懂得返归大道这一根本的人啊！

【原文】

礼者实之文也，仁者恩之效也。故礼因人情而为之节①文，而仁发怦以见②容。礼不过实，仁不溢恩也，治世之道也。夫三年之丧，是强人所不及也，而以伪辅情也。三月之服，是绝哀而迫切之性也。夫儒、墨不原人情之终始，而务以行相反之制，五缞之服③，悲哀抱于情，葬埋称于养。不强人之所不能为，不绝人之所能已。度量不失于适，诽誉无所由生。

【注释】

①节：政验。

②怦（pēng）：发散。见：流露。

③五缞（cuī）之服：古代丧礼以亲疏关系为等差，分为斩绪、齐维、大功、小功、缉麻五种，称"五服"。缞，丧服的一种，用粗麻布制成，披在胸前。

【译文】

礼节仪式是生活中人际关系、感情的表现形式，仁慈的举动是内心恩德的真实写照。因而礼仪应该依据人的感情而制定，并与感情契合，仁慈应该是仁爱之心在外表面容上的自然流露。礼仪形式不超过实际感情，仁慈的举动也不超越表达恩德的限度，这是治世的做法。儒家规定子女为父母服三年之丧，是勉强人们做难以做到的事，而人们为了做到，只能虚情假意地去应付；规定服丧三个月倒是比较切合人性，可以充分表达哀情。儒、墨两家不研究人类感情的规律，硬是造出违反常情的礼节，并硬性规定丧服等差和期限。悲哀的仪式要合乎实情，父母的葬礼要对得起养育之恩，不勉强人做不能做到的事，也不强行制止人们停止悲哀，所有礼仪的规定要恰如其分，就不太会遭人非议。

【原文】

义者循理而行宜也，礼者体情制文者也。义者，宜也；礼者，体也。昔有扈氏为义而亡，知义而不知宜也；鲁治礼而削，知礼而不知体也。有虞氏之祀，其社用土，祀中霤①，葬成亩；其乐《咸池》《承云》《九韶》；其服尚黄。夏后氏其社用松，祀户，葬墙置翣②，其乐《夏籥》九成，《六佾》《六列》《六英》③；其服尚青。殷人之礼，其社用石，祀门，葬树松；其乐《大濩》《晨露》；其服尚白。周人之礼，其社用栗，祀灶，葬树柏；其乐《大武》《三象》《棘下》；其服尚赤。礼乐相诡，服制相反，然而皆不失亲疏之恩、上下之伦。今握一君之法籍，以非传代之俗，譬由胶柱而调琴也。

【注释】

①中霤（liù）：中室。这里指在室内祭祀，下文的“户”“门”“灶”同。

②墙：古代装饰灵柩的帐幔。翣（shà）：棺木的饰物，垂在棺木两旁，形似扇。

③《夏籥（yuè）》九成：九个或多个反复变化的《夏籥》舞蹈。成，变。《六佾》《六列》《六英》：都是古代乐舞名。

【译文】

所谓“义”，就是依循事理而又行为合宜；所谓“礼”，就是体现真情实感而制定的仪式。“义”本指适宜，“礼”就是得体。从前有扈氏拘泥于过时的义而被启杀害，就是由于他只知道过时了的禅让之义却不知道那已经不适应变化了的时代了；鲁国是靠孔孟之道来治国，结果日益衰弱，这是因为鲁国国君不知道礼要体现真情实意。有虞氏的礼法是：他们的社神堆土而成，季夏六月在室内祭祀后土神，人死后埋在耕地下面，乐舞有《咸池》《承云》《九韶》；服饰崇尚黄色。夏后氏的礼法是：他们的社神用松木做成，春天举行户祭，丧葬时在灵车棺木周围挂上帐幔，并装饰着扇样的饰物，乐舞有《夏籥》九成，《六佾》《六列》《六英》；服饰崇尚青色。殷人的礼法是：他们的社神用石头做成，在秋季举行门祭，丧礼有在坟上种松树的习惯，乐舞则有《大濩》《晨露》；服饰崇尚白色。周人的礼法是：他们的社神用栗木做成，夏季祭祀灶神，葬礼有在墓上种松树的习惯，乐舞有《大武》《三象》《棘下》；服饰崇尚赤色。以上四代的礼乐因为时代变迁而发生了很大的变化，服饰也各不相同，但是他们的礼法都体现了亲疏的感情和上下的人伦关系。现在如果死抓住一个国君的法典仪式，用它来否定变化了的礼俗，这就好像胶住弦柱还想调瑟一样。

【原文】

故明主制礼义而为衣，分节行而为带，衣足覆形，从《典》《坟》[①]，虚循挠[②]；便身体，适行步。不务于奇丽之容，隅眥之削[③]；带足以结纽收衽，束牢连固，不亟于为文句疏短[④]之鞋。故制礼义，行至德，而不拘于儒、墨。

【注释】

①《典》《坟》：《典》指《尚书·舜典》，《坟》指上古的书籍，这里泛指准则、常道。

②虚循挠：大概指衣着宽松舒适。虚，闲。循挠，遵行。

③隅眥（yú zì）之削：刻意裁剪，变出花样。

④文句（gōu）：圆曲花纹。疏短：方纹。孙诒让疑“短”当为“矩”。

【译文】

所以圣明的君主制定礼仪就像裁制衣服，规定礼节就像做衣带。衣服能遮身就行，合乎常规即可，要宽松舒适、行走方便就好，不必去追求美丽的样式和花式的裁剪。衣带能够打成纽结、扎紧衣襟就行，不必讲究绣上别致的花纹图案。所以说，制定礼义的根本目的是帮助人们修养最高的美德，不能拘泥于儒家、墨家那一套伦理的限制。

卷十二　道应训

【题解】

道是万事万物发生、发展的总规律；道应就是“道”这个总规律在万事万物中的应用。本训通过生动而又富有哲理的小故事，对道家思想进行了形象的阐释。

【原文】

惠子为惠王[①]为国法，已成而示诸先生，先生皆善之。奏之惠王，惠王甚说之，以示翟煎[②]。曰：“善！”惠王曰：“善，可行乎？”翟煎曰：“不可！”惠王曰：“善而不可行，何也？”翟煎对曰：“今夫举大木者，前呼邪许[③]，后亦应之。此举重劝力之歌也，岂无郑、卫《激楚》[④]之音哉？然而不用者，不若此其宜也。治国有礼，不在文辩。”故《老子》曰：“法令滋彰，盗贼多有。”此之谓也。

【注释】

①惠子：惠施，战国时宋人，名家代表人物。惠王：魏惠王。

②翟煎：魏臣。

③邪许：号子声。

④郑、卫：郑国和卫国，这两地的民间音乐被认为是淫声。《激楚》：古代歌舞曲名。

【译文】

惠施帮魏惠王制定国法，完成后拿给德高望重的学者征求修改意见，儒生们都称赞制定得好。惠施于是把法令上呈给魏惠王，惠王十分高兴，拿去给翟煎看。翟煎说：“做得好。”惠王说：“很好的话，那可以颁布施行吗？”翟煎说：“不可以。”惠王说：“好却不能颁布施行，为什么呢？”翟煎说：“现在那些抬大木头的人，前面的呼喊号子声，后面的也跟着应和起来。这是人们在扛举重物时鼓劲唱喊的歌声，难道就没有郑国、卫国那样高亢激昂的乐曲了吗？当然有，但不用它，原因是不如号子声适用。治理国家，在于礼法的实际内容，而不在于这法令的用词手法修饰得多漂亮。”所以《老子》中曾说道：“法令越详细明确，盗贼就越多。”说的就是这个意思。

【原文】

赵简子以襄子为后①，董阏于②曰：“无恤贱，今以为后，何也？”简子曰：“是为人③也，能为社稷忍羞。”异日，知伯④与襄子饮，而批⑤襄子之首。大夫请杀之，襄子曰：“先君之立我也，曰‘能为社稷忍羞’，岂曰能刺人哉！”处十月，知伯围襄子于晋阳，襄子疏队而击之，大败知伯，破其首以为饮器。故《老子》曰：“知其雄，守其雌，其为天下溪。”

【注释】

①赵简子：春秋末晋国卿，名鞅。襄子：赵简子庶子，名无恤。后：继承者。

②董阏（yān）于：赵简子臣。

③是：他，指无恤。为人：这个人。

④知伯：即智伯。

⑤批：用手猛击。

【译文】

赵简子选中庶子无恤，也就是后来的赵襄子作为自己的继承人，董阏于说："无恤出身低微，现在选择他作为继承人，这是为什么呢？"赵简子回答说："无恤这个人，以后一定能为国家忍辱负重。"后来有一次，智伯和赵襄子一起喝酒，智伯无缘无故地往赵襄子头上用力打了一掌。赵襄子手下的大夫请求杀了智伯，赵襄子却说："先君选择我作为继承人的时候，曾经说我可以为国家忍辱负重，却没有说我能杀人啊！"过了十个月，智伯联合韩、魏将赵襄子包围在晋阳，赵襄子分兵袭击智伯的军队，大败智伯，最后剖开智伯的头颅作为饮器。所以《老子》中曾说道："虽然知道什么是刚强，却谨守着柔弱，一直甘心处在天下的低卑之处。"

【原文】

秦穆公请伯乐曰："子之年长矣，子姓有可使求马者乎？"对曰："良马者，可以形容筋骨相也。相天下之马①者，若灭若失，若亡其一。若此马者，绝尘弭彻。臣之子皆下才也，可告以良马，而不可告以天下之马。臣有所与供儋缠采薪者九方堙②，此其于马，非臣之下也，请见之。"穆公见之，使之求马。三月而反，报曰："已得马矣。在于沙丘。"穆公曰："何马也？"对曰："牡而黄。"使人往取之，牝而骊③。穆公不说。召伯乐而问之曰："败矣！子之所使求者，毛物牝牡弗能知，又何马之能知！"伯乐喟然大息④曰："一⑤至此乎！是乃其所以千万臣而无数⑥者也。若堙之所观者，天机⑦也。得其精而忘其粗，在⑧其内而忘其外，见其所见而不见其所不见，视其所视而遗其所不视。若彼之所相者，乃有贵乎马者！"马至而果千里之马。故《老子》曰："大直若屈，大巧若拙。”

【注释】

①天下之马：超凡的千里马。

②儋：通“担”，挑。缠：缠绕，捆束。九方堙（yīn）：人名，复姓九方，古代善相马者。

③牝（pìn）：雌性禽兽。骊（lí）：黑色。

④大息：即“太息”，叹息。

⑤一：乃，竟然。

⑥千万臣：超出千万倍。无数：无法估量。

⑦天机：天赋的本性。

⑧在：察。

【译文】

秦穆公对伯乐说：“你年事已高，你同族的儿孙中有可以派去相马的人吗？”伯乐回答说：“一般的马，可以通过外貌骨架来识别。但真要识别天下难得的千里马，就得注意到马身上浮现的神韵，不能光注意形体和骨架。这样的马，超凡脱俗，奔跑飞快，不留痕迹。我的儿孙都是下等人才，只能相一般的马，没有相千里马的功夫。我有一位一起打过柴的朋友，他叫九方堙，这个人相马的本领与我比肩，让我来引荐给大王。”秦穆公接见了九方堙，并让他外出选取千里马。三个月以后，九方堙回来汇报说：“找到了一匹千里马，在沙丘。”秦穆公问：“是怎么样的马呢？”九方堙说：“黄色的雄马。”秦穆公派人去牵马，却发现是一匹黑色的雌马。秦穆公很不高兴，叫来伯乐责备说：“扫兴得很！你那个朋友相马竟然连毛色和雌雄都分不清楚，还怎么能相千里马？”伯乐听后深深地叹息说：“九方堙的相马术竟然到这种高深的地步了？他的本领要超出我不知多少倍，简直无法估量。九方堙观察到的，是马的内在灵性。他相中了马的精华而忽略了马的外形，考察的是马的内在素质而不强调外形。九方堙只注意该注意的地方，不重要的地方，他一概无视。这样的相马术，比千里马本身更加珍贵。”马牵回来后，果然是匹千里马。所以《老子》中曾说道：“最直好似弯曲，最灵巧好似笨拙。”

【原文】

齐王[①]后死，王欲置后而未定，使群臣议。薛公[②]欲中王之意，因献十珥[③]而美其一。旦日因问美珥之所在，因劝立以为王后。齐王大说，遂尊重薛公。故人主之意欲见[④]于外，则为人臣之所制。故《老子》曰：“塞其兑，闭其门，终身不勤。”

【注释】

①齐王：指齐威王。

②薛公：威王之子，号靖郭君，封于薛，称薛公。

③珥：用玉做成的耳饰。

④意欲：意图欲念。见：现。

【译文】

齐威王的王后死了，想立一个新的，但一直不能确定，就让大臣们来商议。薛公想迎合威王的心思，于是献上十枚玉珥，并特意说明哪一枚最好。第二天，薛公打听到那枚最好的玉珥赐给了哪位妃嫔，就认定威王是最宠爱她的，于是劝威王立她为王后。威王非常高兴，因此十分器重薛公。所以君王的意图和欲望轻易流露在外，就会被大臣们掌握和挟制。所以《老子》中曾说道：“堵住泄露欲念的通道，关闭接触外物的门户，终身不受劳苦。”

【原文】

魏文侯觞诸大夫于曲阳①。饮酒酣，文侯喟然叹曰："吾独无豫让②以为臣子！"蹇重举白③而进之，曰："请浮④君！"君曰："何也？"对曰："臣闻之，有命⑤之父母，不知孝子；有道之君，不知忠臣。夫豫让之君，亦何如哉？"文侯受觞而饮，釂而不献⑥，曰："无管仲、鲍叔以为臣，故有豫让之功。"故《老子》曰："国家昏乱，有忠臣。"

【注释】

①魏文侯：战国时魏国国君，在位期间致力改革，任用贤才，富民强国。觞：饮酒器，这里指设酒招待。曲阳：地名。

②豫让：春秋末晋国人，事智伯，智伯被杀，豫让为了报仇行刺赵襄子，没有成功，最终自刎而死。

③蹇重：魏文侯臣。白：特指罚酒。

④浮：罚酒一杯。

⑤有命：父母生活好，运气好。

⑥釂（jiào）：干杯。献：主人敬客人酒。

【译文】

魏文侯在曲阳设酒宴招待各位大夫。酒意正酣的时候，文侯深深叹息道："只是没有像豫让那样的忠烈之士来给我做大臣吗？"大夫蹇重捧着罚酒的杯子敬给魏文侯，说："请允许罚君王一杯。"魏文侯问："为什么呢？"蹇重回答说："我听说，掌握自己命运的父母，不必知道什么是孝子；掌握了大道的国君，不必知道什么是忠臣。那豫让的主子智伯，最后又算是怎样的结果呢？"文侯接过罚酒的杯子，一饮而尽，并且没有回劝对方饮酒，说："就是因为智伯没有选定管仲、鲍叔那样的贤才辅佐，这才会有豫让为主报仇的功劳。”所以《老子》中曾说道：“国家黑暗动乱才有忠臣。”

【原文】

武王问太公曰：“寡人伐纣，天下是臣杀其主而下伐其上也。吾恐后世之用兵不休，斗争不已，为之奈何？”太公曰：“甚善！王之问也。夫未得兽者，唯恐其创之小也；已得之，唯恐伤肉之多也。王若欲久持之，则塞民于兑，道全为无用之事、烦扰之教，彼皆乐其业、供[①]其情，昭昭而道冥冥。于是乃去其瞀而载之木[②]，解其剑而带之笏；为三年之丧，令类不蕃；高辞卑让，使民不争。酒肉以通之，竽瑟以娱之，鬼神以畏之。繁文滋礼以弇[③]其质，厚葬久丧以亶[④]其家。含珠鳞施纶组[⑤]，以贫其财；深凿高垄，以尽其力；家贫族少，虑患者寡。以此移风，可以持天下弗失。”故《老子》曰：“化而欲作，吾将镇之以无名之朴也”。

【注释】

①供：安逸。

②瞀：通“鍪（móu）”，头盔。载：通“戴”，使……戴。木：通“鹬（yù）”，指鹬鸟冠，古代掌管天文的官员所戴的帽子。

③滋：多。弇（yǎn）：掩盖。

④亶：通“殚”，耗尽。

⑤含珠：将珠玉放入死者口中。鳞施：用玉片编成玉衣，穿在死者身上。纶组：丝绳组带，这里指死者入殓时穿的华丽的衣服。

【译文】

周武王问姜太公说：“我大动干戈讨伐商纣王，天下人都说这是臣杀君、下伐上的事情。我担心以后这类战争会继续下去，争斗不休，你看这样的事情该怎么办呢？”太公说：“好！大王您提了一个很重要的问题。这就像打猎一样，没有获得猎物时，生怕射杀野兽的伤口小；然而获得猎物时，又担心射杀野兽伤势太重，影响猎物质量。君王若想长久坐拥天下，堵塞人民的眼耳口鼻是能用的唯一方法，让他们去做没用的事情，再加以烦琐的说教，让他们喜欢自己的工作，安分守己，把他们从清醒明白变成糊涂愚昧。这样就可以摘掉他们的盔甲而给他们戴上羽饰，解下他们的宝剑而让他们带着笏板上朝。制定守丧三年的礼法制度，让他们繁衍后代的速度下降；提倡华美辞藻的尊卑谦让，使百姓之间互相不去争斗。用美味使他们饱腹，用音乐让他们娱乐，用鬼神使他们敬畏天命，用繁文缛节掩饰他们质朴的本色，用厚葬服丧、贵重的随葬物使他们的家产变成泥土，深挖战壕、高筑城墙来耗尽他们的体力。这样家家贫穷，同族人考虑祸患的人就少了。通过这些措施来移风易俗，就可以稳坐江山而不丧失。”所以《老子》中曾说道：“人们在生长中随时萌发贪欲，我就用无名而质朴的道来镇服他们。”

卷十三　氾论训

【题解】

氾通“泛”，氾论的意思就是广泛地讨论世间各种各样的学说。本训不仅广泛地讨论了各种学说，并将其统一于“道”。本训的主要观点包括：物质文明的发展是随着时代的发展和战胜自然而产生的；反对因袭古制，凝滞不化，具有进步的历史观；鬼神崇拜是社会心理需要，而非真实应验，具有无神论思想；等等。

【原文】

古之制，婚礼不称主人①；舜不告而娶，非礼也；立子以长，文王舍伯邑考而用武王，非制也；礼三十而娶，文王十五而生武王②，非法也。夏后氏殡于阼阶③之上，殷人殡于两楹④之间，周人殡于西阶之上，此礼之不同者也。有虞氏用瓦棺，夏后氏堲周⑤，殷人用椁，周人墙置翣，此葬之不同者也。夏后氏祭于暗，殷人祭于阳，周人祭于日出以朝，此祭之不同者也。尧《大章》，舜《九韶》，禹《大夏》，汤《大濩》，周《武象》，此乐之不同者也。故五帝异道，而德覆天下；三王殊事，而名施后世。此皆因时变而制礼乐者。譬犹师旷之施瑟柱也，所推移上下者，无寸尺之度，而靡不中音。故通于礼乐之情者能作。音有本，主于中，而以知榘矱⑥之所用者也。

【注释】

①不称主人：指不能由父母亲自出面提亲，必须由叔伯父、师长等为

媒。主人，父母。

②文王十五而生武王：古代礼制规定，国君十二岁可行冠礼，冠后可以娶妻，所以十五岁可生子。

③殡：停放灵柩。阼（zuò）阶：大堂前的两排台阶，东面称为“阼阶”，是主人之位；西面称为“西阶”，是宾客之位。

④楹：堂前的柱子。

⑤塈（jí）周：土棺。塈，烧结的土块。周，覆盖。

⑥榘矱（jǔ huò）：规矩，法度。

【译文】

古代的礼制，儿女婚姻不能称呼主人，虞舜不告诉父母就娶了两个妃子，这是不合古法的规定；需要让嫡长子继位，文王不立嫡长子伯邑考而立武王为嗣子，这是不合立嗣的古法。古礼规定男子三十岁才能娶妻，但文王十五岁便生下了武王，这是不合娶亲的古法。夏后氏的国君死后将灵柩停放在堂屋的东面台阶上，殷朝国君死后将灵柩停放在厅堂的两根柱子之间，周朝天子死后则将灵柩停放在西面太阶上，这是三个朝代殡礼不同的地方。有虞氏安葬的时候用瓦制的棺，夏后氏时用土烧成瓦砌成棺，殷朝的君主用的是外棺，周朝君王柩车上还要设置墙并加上扇状的饰物，这是葬礼的不同。夏后氏时郊祭在黄昏的室内举行，殷朝人在中午的堂上举行，周朝人在早晨的庭院中举行，这是祭祀的不同之处。尧帝时用《大章》之乐，舜帝时用《九韶》之乐，夏禹时用《大夏》之乐，商汤时用《大濩》之乐，武王时用《武象》之乐，这些都是音乐的不同。所以五帝虽采用不同的方法治理国家，但德泽都能覆盖天下；三王从事不同的事业，但都能扬名后世。这都是由于他们能够根据不同的时代的情况制定适宜的制度，就好比师旷调整瑟的柱子，上下移动位置，而且没有尺度来衡量，却无不符合音律。所以通达礼乐情理的人就能弹奏适宜的音乐，这是说他内心有一个规律，因而知道乐律的运用法则。

【原文】

鲁昭公有慈母[①]而爱之，死，为之练冠[②]，故有慈母之服[③]。阳侯杀蓼侯而窃其夫人，故大飨[④]废夫人之礼。先王之制，不宜则废之；末世之事，善则著之。是故礼乐未始有常也。故圣人制礼乐，而不制于礼乐。

【注释】

①鲁昭公：春秋末鲁国国君。慈母：乳母，奶妈。

②练冠：古代丧服的一种，父母周年祭称“小祥”，小祥所用丧服叫“练”。

③服：守孝，服丧。

④大飨：古代一种祭礼，又叫“大拾”，古代高祖以上的神主之庙要拆毁，迁其神祖入太祖庙中供奉，合祭已毁庙的神祖和未毁庙的神祖。

【译文】

鲁昭公十分爱戴抚养自己的奶妈，奶妈去世后，昭公为她守孝一年，所以就有了为奶妈服丧的礼法。阳侯大飨祭典看中了蓼侯的夫人，因而杀死了蓼侯而抢夺了他的夫人，从此以后举行大飨祭典时废除了由夫人执豆的礼仪。因此先王的制度，不适宜的就要废除它；近代出色的政绩，就要继承发扬下去。可见礼乐从来就不是遵循守旧的，圣人制定礼乐，但不受礼乐的限制。

【原文】

治国有常[①]，而利民为本；政教有经，而令行为上。苟[②]利于民，不必法古；苟周于事，不必循旧。夫夏、商之衰也，不变法而亡；三代之起也，不相袭而王。故圣人法与时变，礼与俗化。衣服器械，各便其用；法度制令，各因其宜。故变古未可非，而循俗未足多[3]也。

【注释】

①经：常。

②苟：如果。

③多：赞美。

【译文】

治国要遵循一定的规律，但必须以有利于人民作为根本；刑赏教化虽有常法，但必须以有效作为要求。只要以有利于人民为根本，就不一定要遵循古法；只要适合实际情况，就不一定要遵循旧法。夏朝、商朝的衰败，原因在于没有改变旧法而导致灭亡了；夏、商、周三代刚兴起时，夏禹、商汤、周武王不互相学习继承古法却国家兴旺。所以圣人的法度以时势的变化而为依据，礼制和习俗一同改变，衣服器械，各自方便其实用，法令制度，各自适应时事。所以改变古法无可非议，但因循守旧却不值得赞美。

【原文】

百川异源，而皆归于海；百家殊业，而皆务于治。王道缺而《诗》作；周室废，礼义坏，而《春秋》作。《诗》《春秋》，学之美者也，皆衰世之造也。儒者循之，以教导于世，岂若三代之盛哉？以《诗》《春秋》为古之道而贵之，又有未作《诗》《春秋》之时。夫道之缺[1]也，不若道其全也。诵先王之《诗》《书》，不若闻得其言；闻得其言，不若得其所以言；得其所以言者，言弗能言也。故道可道者，非常道也。

【注释】

①缺：残缺。

【译文】

百川源头各不相同，但最后都汇入大海；百家从事的事业各不一样，但都是为了治理天下。王道残缺才产生了《诗》，周王室衰微、礼仪败坏才有《春秋》产生。《诗》和《春秋》虽然是学问中的精华，但都是衰世创造出来的，儒家用它们来教导世人，难道还能像三代那样繁荣昌盛吗？如果认为《诗》《春秋》讲述古代的道理而推崇它们，那么还有比没产生《诗》和《春秋》更早的远古时代呢！与其称颂王道残缺时代产生的《诗》《春秋》，不如称颂更早的王道完整的时代。与其诵读先王的《诗》《书》，不如听他们的说话；听他们说的话，又不如知道他们为什么这样说；而这些言论的根据，又是难以用言语表达的。所以对于道来说，能够言传的话，不算是永恒的大道。

【原文】

夫圣人作法，而万物制焉；贤者立礼，而不肖者拘焉。制法之民，不可与达辱[①]；拘礼之人，不可使应变。耳不知清浊之分者，不可令调音；心不知治乱之源者，不可令制法。必有独闻之耳、独见之明，然后能擅道而行矣。夫殷变夏，周变殷，春秋变周，三代之礼不同，何古之从？大人作而弟子循，知法治所由生，则应时而变；不知法治之源，虽循古终乱。今世之法籍与时变，礼义[②]与俗易，为学者循先袭业，据籍守旧教，以为非此不治，是犹持方枘而周员[③]凿也，欲得宜适致固焉，则难矣。

【注释】

①与：以。达辱：高举。

②义：通“仪”。

③枘：榫头。周：合。员：同“圆”。

【译文】

圣人制定法令法规，使百姓受到制约；贤人建立礼法，使不贤的人被约束。受法令制约的愚民不能有远大作为，被礼法约束的人是难以应变的。耳朵不能分辨清浊的人，不可以让他去调整音律；内心不明白治乱之本的人，不可以让他制定法令。只有拥有独特的听觉和视觉的人，才能随心所欲地选择道路前进。殷朝取代了夏朝，周朝取代了殷朝，春秋各国又纷纷取代了周朝，三代礼法各不相同，哪还有什么古法可遵循呢？如果盲目遵从古法，不过就像长辈制定规则弟子遵循而已。如果懂得礼法产生的原因，那么就能根据现实变通法律；不明白法治产生的根源，即使因循守旧，最终也会大乱。现在的法典已经根据现实而变化了，礼仪也跟着习俗而更改了。而那些学者还是遵循先人、沿袭旧业，死守教条，以为离开这些就没办法治理天下，这就像拿着方榫头朝圆榫眼里插，还想达到牢固和合适，那是很困难的。

【原文】

今儒、墨者称三代、文、武而弗行，是言其所不行[①]也；非今时之世而弗改，是行其所非也。称其所是，行其所非，是以尽日极虑而无益于治，劳形竭智而无补于主也。今夫图工好画鬼魅而憎图狗马者，何也？鬼魅不世出，而狗马可日见也。夫存危治乱，非智不能；道而先称古，虽愚有余。故不用之法，圣王弗行；不验之言，圣王不听。

【注释】

①是言其所不行：指儒、墨两家只称颂古法但不能实施于天下，不过是说说而已。

【译文】

现在的儒、墨两家，称颂三代、周文王和周武王所施行的古法而不实行，这就是宣传不能实行的东西；非议眼前实行的社会现实，却又不加以改变，实际上是听任自己反对的东西存在下去。称赞自己以为正确的，做的却是自己认为错误的，思来想去却对治国毫无益处，辛劳形体竭尽智虑，却对君主没有帮助。现在那些画工总喜欢画鬼怪而讨厌画狗马，其中的原因是什么呢？这是因为鬼怪不可能在世上出现，而狗马倒天天能见到。挽救危局、治理乱世，没有聪明才智的人是无法做到的；但只是称颂古代，即使让愚蠢的人来干也绰绰有余。所以无用的法规，圣王也不能够推行它；不符合实际的言论，明君也不会听取。

卷十四　诠言训

【题解】

诠言就是诠释精微之言，用“道”去解释世间繁多的具体问题。作者认为，混沌的元气“太一”产生世间万物，“道”生成万物后便消融于万物之中；保养天性，可以得到“道”；政治上的“道”就是“无为而治”。

【原文】

自信者，不可以诽誉迁也；知足者，不可以势利诱也。故通性之情者，不务性之所无以为；通命之情者，不忧命之所无奈何①；通于道者，物莫不足滑②其调。詹何③曰：“未尝闻身治而国乱者也，未尝闻身乱而国治者也。”矩不正，不可以为方；规不正，不可以为员。身者事之规矩也，未闻枉己而能正人者也。

【注释】

①无奈何：无可奈何，无法支配。

②滑：通“汩”，乱。

③詹何：古代传说中精于钓术的人。

【译文】

自信的人，不能用诽谤赞誉来改变他的本质；知足的人，不能用权势利益来诱发他的欲念。所以通达天性的人，不从事本性做不到的事情。懂得命运的人，不会担忧命运无法支配的事情；通晓大道理的人，没有外物能够扰乱他内心的安宁。詹何说过："还没听说过自身修养很好而国家治理得很差，也没听说过自身修养很差而国家治理得很好。"矩尺不正，就不能够画出方形；圆规不标准，也无法画出圆形。自身的修养就相当于万事万物的矩尺圆规，没听说过自身不正而能使别人端正的。

【原文】

原天命，治心术，理好憎，适情性，则治道通矣。原天命，则不惑祸福；治心术，则不妄喜怒；理好憎，则不贪无用；适情性，则欲不过节。不惑祸福，则动静循理；不妄喜怒，则赏罚不阿①；不贪无用，则不以欲用害性；欲不过节，则养性知足。凡此四者，弗求于外，弗假于人，反己而得矣。

【注释】

①阿：偏袒，这里指偏差。

【译文】

探寻天性的根源，端正内心的想法，理顺好恶关系，调整温和的性情，治国之道就通畅了。探本天性就不会被祸福迷惑，端正心术就不会喜怒无常，理顺好恶就不会贪求无用的东西，调整好性情欲念就不会没有节制。不被祸福所迷惑，那么行为就能遵循道理；不喜怒无常，赏罚就不会出现偏差；不贪求无用的东西，就不会因物欲而伤害本性；欲望不超过限度，就可以知足常乐。这四个方面的修养，不需要向外部寻求，也不必借助他人的力量，立足于自身才能获得。

【原文】

天下不可以智为也，不可以慧识也，不可以事治也，不可以仁附也，不可以强胜也。五者皆人才也，德不盛，不能成一焉。德立则五无殆，五见则德无位矣。故得道则愚者有余，失道则智者不足。渡水而无游数①，虽强必沉；有游数，虽羸必遂。又况托于舟航之上乎？

【注释】

①游数：游泳技术。

【译文】

天下的事情是不能单靠聪明才智来统治，也不能单凭聪明就能认清，不能只靠人的本事来治理，不能只用仁义就能使人归顺，单凭强力更不可能取胜。智力、聪明、本事、仁术、强力这五项都属于人的才能的表现，但如果没有崇高的德行，就不能做好任何一件事。德行修养好了，这五项才能才会奏效；如果只强调这五项才能，德行修养也就没什么好说的了。所以得道之人即使愚笨无能也会力量无穷；失道之人即使聪明也会感到力不从心。就像想渡江河深水却没有游泳技术，即使身强体壮也一定会沉下去；有了游泳技术，即使身体瘦弱也一定会成功渡过，更何况依托在舟船之上呢？

【原文】

为治之本，务在于安民；安民之本，在于足用；足用之本，在于勿夺时；勿夺时之本，在于省事；省事之本，在于节欲；节欲之本，在于反性；反性之本，在于去载①。去载则虚，虚则平。平者道之素也，虚者道之舍也。

【注释】

①载：指精神负担。

【译文】

治国的根本，在于人民安定；安定人民的根本，在于丰衣足食；丰衣足食的根本，在于不违农时；不违农时的根本，在于节省官事；节省官事的根本，在于节制物欲；节制物欲的根本，在于回归天性；回归天性的根本，在于抛弃内心的精神压力。抛弃这些精神压力，内心就能平和，虚静就平和。平和是道的根本，虚静是道的归宿。

【原文】

能有天下者，必不失其国；能有其国者，必不丧其家；能治其家者，必不遗其身；能修其身者，必不忘其心；能原其心者，必不亏其性；能全其性者，必不惑于道。故广成子曰："慎守而[1]内，周闭而外；多知为败，毋视毋听；抱神以静，形将自正。"不得之己而能知彼者，未之有也。故《易》曰："括囊，无咎无誉。"

【注释】

①而：于。

【译文】

能够统治天下的天子，必定不会失去任何一国；能够享有一国的，必定不会失去大夫的采邑；能够治理好采邑的大夫，必定不会丧失自身；善于修养自身的人，必定不会遗忘自己的心；能使自己的心回到根本的，肯定不会亏损他的天性；不损伤天性的人，必定不会对道产生迷惑。所以广成子说："谨慎持守你的内心，周密地堵塞外欲；知道太多不是好事，不要看不要听，拥抱着精神虚静平和，形体就会自然端正。"不能把握自身而能去通晓道体，没有这样的事情。因此《易经》说："收紧口袋，那么就没有过错也没有赞誉。"

【原文】

能成霸王者，必得胜者也；能胜敌者，必强者也；

能强者，必用人力者也；能用人力者，必得人心也；能得人心者，必自得者也；能自得者，必柔弱也。强胜不若己者，至于与同则格[①]；柔胜出于己者，其力不可度。故能以众不胜成大胜者，唯圣人能之。

【注释】

①与同：指势均力敌。格：阻隔。

【译文】

能够成就霸业的人，一定是获得胜利的人；能够战胜对手的人，一定是个强大的人；而力量强大，一定是利用了民众的力量；能利用民众的力量，也必定能得人心；能得人心，也一定能得到道的要旨；能自己掌握道旨的人，一定是靠柔弱之术处世的。靠强力尽管能胜过不如自己的人，但碰上力量与自己相等的人便难以取胜。而凭柔弱可以胜过比自己强大的人，他的无形之力无法估量。所以能用众人不可战胜的力量而成就大的胜利，只有圣人才能做到。

【原文】

圣人无思虑，无设储；来者弗迎，去者弗将；人虽东西南北，独立中央。故处众枉之中，不失其直；天下皆流，独不离其坛域。故不为善，不避丑，遵天之道；不为始，不专己，循天之理；不豫谋，不弃时，与天为期；不求得，不辞福，从天之则。不求所无，不失所得；内无旁祸，外无旁福；祸福不生，安有人贼？为善则观，为不善则议。观则生贵，议则生患。故道术不可以进而求名，而可以退而修身；不可以得利，而可以离害。故圣人不以行求名，不以智见誉。法修自然，己无所与。虑不胜数，行不胜德，事不胜道。为者有不成，求者有不得。人有穷，而道无不通，与道争则凶。故《诗》曰：“弗识弗知，顺帝之则。”有智而无为，与无智者同道；有能而无事，与无能者同德。其智也，告①之者至，然后觉其动也；使之者至，然后觉其为也。有智若无智，有能若无能，道理为正也。故功盖天下，不施②其美；泽及后世，不有其名。道理通而人为灭也。

【注释】

①告：通“嗥”，大声呼喊。

②施：通“侈”，夸耀。

【译文】

圣人没有思虑，不事储备。来到的他不迎接，离开的他也不送；人们东奔西跑、南来北往的，他却独自站在中央。所以他能在众多枉曲之中也不丧失正直；天下人都随波逐流，圣人独自坚守在自己的领域中。所以不有意做善事，也不有意掩避丑，只是遵循着天道规律；他不作为开始，也不独断专行，只是遵循自然之理；他不事先谋划，也不错失时机，而与自然的变化相契合；不求获得利益，也不推让幸福，按照天的法则行事。他不追求自利，也不失去自己拥有的，内没有意外的祸害，外没有意外的福利。祸福都不发生，哪会有人受到伤害？行善事会被人们所关注，做坏事也会引起大家非议；被人看到就会产生责备，非议一多必定产生祸患。所以道术不能用来进取求名，却能够退而修治自身；不能用来获取利益，只能用来躲避灾祸。所以圣人不用品行去求名，不靠智慧去获誉。法规依靠自然而产生，圣人自己不加干预。思虑不能胜过天数，品行胜不过德行，行事胜不过道术。做事有不成功的地方，追求有得不到的。人有走投无路的时候，而道却没有不通达的地方，与大道相抗争就会有凶险。所以《诗经》说：“好像无知无觉，顺从天帝的法则。”有智慧而无所作为，和无智慧的人道术相同；有才能却无所事事，和没本事的人德性一样。这样的“智者”，呼喊他他才走过来，人家这才觉得他有动静；这样的能人，使唤他他才来，人家这才觉得他在行动。有智慧就好像没有智慧，有能耐却好像没有能耐，这样的道理就正确了。所以尽管功盖天下，却从不夸耀自己的美德；泽被后世，却从不拥有名声。道理通达，而人的虚伪就消失了。

卷十五　兵略训

【题解】

本训研究的是军事韬略问题。作者认为，人类为了生存产生了战争，战争的胜负在于民心向背；另外，用兵要“依道而行”，掌握军事活动的规律。

【原文】

夫兵之所以佐胜者众，而所以必胜者寡。甲坚兵利，车固马良，畜积给足，士卒殷轸①，此军之大资也，而胜亡焉；明于星辰日月之运，刑德奇该②之数，背乡③左右之便，此战之助也，而全亡焉。良将之所以必胜者，恒有不原之智，不道之道，难以众同也。

【注释】

①殷轸：众口。

②刑德：古人以刑德来说明阴阳二气在一年四季中的消长变化。冬至为“德”，因为是阴气之末、阳气之初；夏至为“刑”，因为是阳气之末、阴气之初。奇（jī）该：也作“奇赅”，指阴阳术。

③乡：通“向”，方向。

【译文】

用兵取胜的辅助因素很多，但必胜的决定性因素却很少。铠甲坚固兵器锋利，战车牢固马匹精良；蓄积丰富给养充足，士卒众多年轻体壮，这些都是战争取胜的重要因素，但战争胜利却不存在。熟悉日月星辰的运行规律、熟悉阴阳刑德奇秘变化的道理、熟悉背反左右的便利等，这些对战争胜利都有帮助，但彻底取胜仍然不决定于这些因素。良将打仗所以取胜，常常有无法测度的智慧，不可以说出来的原因，很难和一般人相同。

【原文】

夫论除①谨，动静时，吏卒辨②，兵甲治，正行五，连什伯，明鼓旗，此尉之官。前后知险易，见敌知难易，发斥不亡遗，此候之官也。隧路亟，行辎③治，赋丈均，处军辑④，井灶通，此司空之官也。收藏⑤于后，迁舍不离，无淫舆，无遗辎，此舆之官也。凡此五官之于将也，犹身之有股肱手足也，必择其人，技能其才，使官胜其任，人能其事。告之以政，申之以令，使之若虎豹之有爪牙，飞鸟之有六翮⑥，莫不为用，然皆佐胜之具也，非所以必胜也。

【注释】

①论：通“抡”，选择。除：授予官职。

②辨：通“办”，治理，整顿。

③行辎（zī）：军队携带的军用物资。

④处军辑：营帐搭得安稳。军，古代用兵车围成营垒驻宿。

⑤收藏：部队断后。

⑥翮（hé）：鸟类翅膀毛羽中间的硬管。

【译文】

谨慎地选择官吏并授予官职，行动符合时机，军吏士卒管理有方，兵器铠甲装备齐全，这是司马的职责。军队行伍、什佰编制齐整、组织严明，战鼓军旗信号明确，这是尉官的职责。指导前后危险平夷，敌军强弱程度，不忘侦察敌情，这是侦察的职责。快速修整道路保持畅通，及时运输辎重，军帐大小均匀，驻军安定，水井锅灶能够相通，这是司空的职责。负责部队收集战利品，转移驻扎时没有人员离散，装载不过量，没有遗失的辎重，这是军舆的职责。这五种官员对于作战的将帅来说，就像身体和手足，一定要选择合适的人选来担任，度量他们的才能，使其能胜任其职，做好分内的工作。告诉他们政务，向他们申明命令，使他们像有爪牙的虎豹、有健翅的飞鸟，都来为将帅效力。然而这些仍然还是取得胜利的辅助因素，不是胜利的必要条件。

【原文】

兵之胜败，本在于政。政胜其民，下附其上，则兵强矣；民胜其政，下畔[①]其上，则兵弱矣。故德义足以怀天下之民，事业足以当天下之急，选举足以得贤士之心，谋虑足以知强弱之势，此必胜之本也。

【注释】

①畔：通“叛”。

【译文】

战争的胜负，根本在于政治。百姓服从政治，臣下能够亲附君主，那么军队就强大；百姓反对政治，臣下背叛君主，军队必然弱小。所以德政、道义最足以感怀天下百姓，事业成就完全可以应对天下的危急之事，选用的人才足以得到天下贤士的拥戴，计谋足以掌握敌我双方的强弱形势，这些才是必胜的根本要素。

【原文】

夫有形埒者，天下讼见之；有篇籍者，世人传学之，世此皆以形相胜者也，善形者弗法也。所贵道者，贵其无形也。无形则不可制迫，不可度量也，不可巧计也，不可规虑也。智见者，人为之谋；形见者，人为之功；众见者，人为之伏；器见者，人为之备。动作周还，倨句诎伸，可巧诈者，皆非善者也。善者之动也，神出而鬼行，星耀而玄逐；进退诎伸，不见朕垫[①]；鸾举麟振，凤飞龙腾；发如秋风，疾如骇龙；当以生系死，以盛乘衰；以疾掩迟，以饱制饥；若以水灭火，若以汤沃雪，何往而不遂？何之而不（用）达？在中虚神，在外漠志，运于无形，出于不意，与飘飘往，与忽忽来，莫知其所之。与条出，与间入，莫知其所集。卒如雷霆，疾如风雨，若从地出，若从天下，独出独入，莫能应圉。疾如镞矢[②]，何可胜偶？一晦一明，孰知其端绪？未见其发，固已至矣。故善用兵者，见敌之虚，乘而勿假也，追而勿舍也，迫而勿去也；击其犹犹，陵其与与，疾雷不及塞耳，疾霆不暇掩目。善用兵，若声之与响，若镗之与鞈[③]；眯不给抚，呼不给吸。当此之时，仰不见天，俯不见地，手不麾戈，兵不尽拔，击之若雷，薄之若风，炎之若火，陵之若波。敌之静不知其所守，动不知其所为。故鼓鸣旗麾，当者莫不废滞崩阤[④]，天下孰敢厉威抗节而当其前者？故凌人者胜，待人者败，为人杓[⑤]者死。

【注释】

①朕垫（yín）：形迹，征兆。垫，同“垠”。

②镞矢：飞箭。

③鞈（tà）：鼓声。

④废：覆灭。阤：通“弛”，溃败。

⑤杓：目标，靶子。

【译文】

凡是具有形体的东西，天下人都能看到；记载在典籍里的内容，世人都能学习并加以传播，这些都是以形来取胜的，所以最好的形体是无法效仿的。人们之所以看重道，在于道的无形。因为无形的东西是不能够被逼迫和度量的，更不能用智巧来欺诈它，打它的主意。智慧显露出来，人们就会谋划对付；你的形迹表现出来，人家也会以相应的行动来回敬；你的大部队稍有暴露，人家就会打埋伏；你的器械被人看到，人家就做好了充分的防备。总之，动作周旋、伸直弯曲，能够成为机巧伪诈，都不算是高明的。好的战争行动，像神灵一样出现，像鬼魂一样行动，如星辰闪烁、天体运行；进退屈伸，不留痕迹；像鸾鸟高飞、麒麟跳跃、凤凰飞翔、神龙腾空；发动如疾风，迅速像骇龙；以生动灵活的态势攻击呆滞死板，用旺盛的气势驾驭死气沉沉，凭借迅猛有力压倒迟缓，借着饱满的精神制伏饿着肚子的敌人，就像以水灭火、沸水浇雪，这样的军队通往何方不能成功？到哪里不能通达呢？在内心使精神虚静，对外界使物欲淡漠，在无形的领域运行，攻击出其不意。像飘忽的风往来无声，谁也不知它要到哪里去。从缝隙中出入无迹，没有人知道它停留何处。突然暴发如雷霆，迅疾如风，像从地下冒出，又像从天而降，在天地间独来独往，没有边界限制。快得像离弦飞箭，还有什么能和它匹敌？忽暗忽明，怎么能知道它的头绪？还没看到它出发，它却早已来到你跟前。所以善于用兵的人，发现敌方的弱点，抓住时机而不要宽容他们，追击直到消灭干净，绝不让敌人逃走。在敌人迟疑之时打击他们，趁着犹豫之时进攻，要有迅雷不及掩耳、闪电不及遮眼的气势。善于用兵，就如同声响和回响，像擂鼓与鼓声；让敌人眼睛被灰尘迷着都来不及揉一下，像呼气来不及吸气一样神速。从天而降的神兵使敌人抬头看不见天，低头看不着地，完全失去方向，手不知道挥动长矛，刀剑来不及全拔出来，攻上去势如雷鸣，逼近时快如狂风，像烈火一样烧向敌人，像波涛一样凌驾于别人之上。敌人因而不知道怎样防守，也不知道如何去进攻。因此军鼓齐鸣、军旗所向，阻挡的人没有不停止而崩溃的，抵挡上来的没有不土崩瓦解的，天下的人谁敢扬威抗衡而在前面阻挡他们呢？所以能够驾驭敌方的部队必胜，消极应对的部队必败，成为别人攻击目标的部队只有死路一条。

【原文】

静以合躁，治以待乱，无形而制有形，无为而应变，虽未能得胜于敌，敌不可得，胜之道也。敌先我动，则是见其形也；彼躁我静，则是罢其力也。形见则胜可制也，力罢则威可立也。视其所为，因与之化；观其邪正，以制其命。饵之以所欲，以罢其足；彼若有间，急填其隙。极其变而束之，尽其节而朴之。敌若反静，为之出奇；彼不吾应，独尽其调；若动而应，有见所为；彼持后节，与之推移。彼有所积，必有所亏，精若转左①，陷其右陂②。敌溃而走，后必可移；敌迫而不动，名之曰奄迟。击之如雷霆，斩之若草木，耀之若火电，欲疾以遬，人不及步铜，车不及转毂，兵如植木，弩如羊角，人虽众多，势莫敢格。诸有象者，莫不可胜也；诸有形者，莫不可应也。是以圣人藏形于无，而游心于虚，风雨可障蔽，而寒暑不可开闭，以其无形故也。夫能滑淖③精微，贯金石，穷至远，放乎九大之上，蟠乎黄卢之下，唯无形者也。

【注释】

①精：敌军精锐部队。左：指东方。

②陷：攻击。右：指西方。陂：边。

③淖（nào）：柔和。

【译文】

以安静来对付对方的急躁，用治理来对付混乱，用无形来制约有形，用无为来应付变化，即使不能对敌人取得胜利，敌人也不能得到什么，这就是取胜的主要办法。敌方如果先于我方行动，就会暴露形迹；敌方如果急躁而我方宁静，就会使他们疲劳。敌方形迹暴露出来那么胜利就有把握了，敌方筋疲力尽那么便可以立威了。针对敌方的行动，就趁势和他们一起变化，不断改变我方的策略；观察敌方的邪道与正路，来控制他们的命运。用敌方想要得到的东西作为诱饵引诱他们上钩，用来疲乏他们的足力；敌方如果露出了破绽，就要赶紧抓住机会，乘虚而入。尽量根据敌人的变化来控制他们，用尽各种办法对他们进行节制。如果敌人由运动返归宁静，我方则对他们出奇制胜；敌方如果对此不理睬，我方尽量用各种方法调动他们；如果敌方有所反应，那么我们也就观察到他们的意图了；如果敌方后于我们行动，要设法把他们转移到前面来。敌方如果集中兵力尾随我方，后方必定空虚；敌方的精锐部队在左方，就在右边设下陷阱。如果敌军溃败逃走，从后面追击而能够随时转移。敌军受到我军的强大压力而龟缩不动，这就是所谓的滞留迟疑。我军要用雷霆之势猛攻猛打，像割草伐木一样消灭他们，我军的攻击务必要像火烧电闪一样神速，要使敌方都来不及迈步、战车来不及启动，兵器像插在地上的木头、弓弩像长在羊头上的角，来不及拿出来，这时即使敌人人多也没办法抵挡。很多现出形体的东西，没有什么是不能够对付的。正因为如此，圣人将自己隐藏在无形之中，心灵游荡在空虚之处。风雨不能堵塞隐蔽它，寒暑冷热也不能阻挡，因为它们无形。能够稀薄柔和，精细隐微，贯穿金石，穷尽最遥远的区域，上达于九天之上，下伏于黄泉之下的，只有无形才能达到这个要求。

【原文】

善用兵者，当击其乱，不攻其治；不袭堂堂之寇，不击填填[①]之旗；容未可见，以数相持；彼有死形，因而制之。敌人执数，动则就阴，以虚应实，必为之禽。虎豹不动，不入陷阱；麋鹿不动，不离罝罘[②]；飞鸟不动，不絓网罗；鱼鳖不动，不擐唇喙[③]。物未有不以动而制者也。是故圣人贵静。静则能应躁，后则能应先，数[④]则能胜疏，博则能禽[⑤]缺。

【注释】

①填填（zhèn zhèn）：牢固整齐的样子。

②罝罘（jū fú）：罗网。

③擐（huàn）：穿。喙：口。

④数（cù）：密。

⑤禽：同"擒"。

【译文】

善于用兵的，应当在混乱之时打击敌人，不能去攻击整肃的敌军；不要去袭击那些气势威严、阵容整齐的敌军；看不见敌人的阵容时，必须用数目相当的队伍来准备迎战；一旦发现对方露出致命的弱点，就乘机消灭他。敌方如果掌握了各种作战规律，我方就活动在敌人隐蔽的暗处，敌方以"虚"来对付我方的"实"，我军必定会被敌军制伏。虎豹不出来活动，不会落入陷阱之中；麋鹿安详不乱动，不会投入兽网之内；鸟儿不乱飞，不会被罗网所捕获；鱼鳖不乱游，也难以被钓钩钩住嘴唇。万物没有不是因为出来活动而被制伏的。所以圣人贵静。因为安静可以制伏躁动，处于后位则能够对付前头，计划周密那么能胜过计划粗疏的，完整的军队能够制伏残缺的兵士。

【原文】

故前后正齐，四方如绳，出入解赎，不相越凌，翼轻边利，或前或后，离合聚散，不失行伍，此善修行陈者也。明于奇正赅、阴阳、刑德、五行、望气、候星、龟策、机祥，此善为天道者也。设规虑，施蔚伏，见用水火，出珍怪，鼓噪军，所以营其耳也。曳梢肆[①]柴，扬尘起埃[②]，所以营其目者，此善为诈祥者也。錞钺[③]牢重，固植而难恐，势利而不能诱，死亡不能动，此善为充干者也。剽[④]疾轻悍，勇敢轻敌，疾若灭没，此善用轻出奇者也。相地形，处次舍，治壁垒，审烟斥，居高陵，舍出处，此善为地形者也。因其饥渴、冻暍[⑤]、劳倦、怠乱、恐惧、窘步，乘之以选卒，击之以宵夜，此善因时应变者也。易则用车，险则用骑，涉水多弓，隘则用弩，昼则多旌，夜则多火，晦冥多鼓，此善为设施者也。凡此八者，不可一无也，然而非兵之贵者也。

【注释】

①曳（yè）：拉，拖。梢：树梢，小树枝。肆：放纵，滚动。

②埃（ài）：尘埃。

③錞（duì）：古代矛戟等兵器上的金属箍。钺（yuè）：大斧。

④剽（piāo）：刚猛。

⑤暍（yē）：热而中暑。

【译文】

所以队伍前后整齐，四面像墨线般笔直，出入往来，不得互相超越，侧翼轻兵锐卒，时前时后分离聚合，队形不乱，这是善于训练队列和阵势的做法。明白奇赅、阴阳、刑德、五行、望气、占星、龟策、祭祀，这就是善于运用天道的做法。

制订计划，设下埋伏，运用水攻、火攻，制造奇异假象，鼓噪呐喊，这是用来混乱敌人听觉的办法。拖着树枝，扬起尘土来迷惑敌人的视觉，这是善于使用伪装的办法。意志像矛斧般坚定稳重，决心坚定而难以使之恐惧，难以吓倒，权势不能诱惑，死亡吓不退缩，这是使人具有坚强意志的办法。刚猛快速、英勇果断、藐视敌人，迅疾像一闪即逝，这是善于运用轻骑兵来出奇制胜的方法。观察选择地形，安排驻营地址，修筑营垒，审视要塞，驻扎在高地，安排还营的退路，这是善于利用有利地形的方法。利用敌军饥渴冻热、疲劳混乱、恐惧困窘之时，运用精锐干练的部队，在深夜对敌人实施偷袭，这是依据时势变化采用相应措施的方法。平坦的地方用兵车，险峻的地方用骑兵，渡水时用弓，险隘之处用弩，白天多用旗帜壮大声威，夜晚用篝火制造气氛，昏暗时多用战鼓，这是善于利用兵械装备。以上总共八种战术，不能缺少一样，但这并不是战争最值得珍视的办法。

【原文】

夫将者必独见独知。独见者，见人所不见也；独知者，知人所不知也。见人所不见，谓之明；知人所不知，谓之神。［神］明者，先胜者也。先胜者，守不可攻，战不可胜者，攻不可守，虚实是也。上下有隙，将吏不相得；所持不直，卒心积不服，所谓虚也。主明将良，上下同心，气意俱起，所谓实也。若以水投火，所当者陷，所薄者移，牢柔不相通，而胜相奇者，虚实之谓也。故善战者不在少，善守者不在小，胜在得威，败在失气。夫实则斗，虚则走；盛则强，衰则北。吴王夫差地方二千里，带甲七十万，南与越战，栖之会稽；北与齐战，破之艾陵；西遇晋公，擒之黄池。此用民气之实也。其后骄溢纵欲，拒谏喜谀；恍悍遂过①，不可正喻②；大臣怨怼③，百姓不附；越王选卒三千人，擒之干隧，因制其虚也。夫气之有虚实也，若明之必晦也。故胜兵者非常实也，败兵者非常虚也。善者能实其民气，以待人之虚也；不能者虚其民气，以待人之实也。故虚实之气，兵之贵者也。

【注释】

①恍：同“骁”，勇猛。遂过：酿成过错。

②正喻：对严确的劝谏不能领悟。

③怼（duì）：怨恨。

【译文】

将帅一定要有独见之明、独知之慧。所谓独见，是指能观察到别人观察不到的；所谓独慧，是指能知道别人不知道的。能观察到别人观察不到的，叫作明；知道别人不知道的，叫作神。神明，就是取胜的先决条件。如果能这样，那么防守时别人攻不破，交战时敌人打不倒，进攻时就容易取胜，虚实的道理就是这样的。君臣有矛盾，文官武将不融洽，将帅处事不公正，士兵心里充满怨气，这就是所说的虚。君王贤明，将领优秀，君臣同心，意气共同激励，这就是所说的实。像泼水灭火，敢抵抗的就将他攻陷，敢逼近过来的就把他掀倒，坚固柔弱本不相连通，而胜利却不能同时出现，这就是虚实的不同。所以善于作战的部队不怕人少，善于把守的人不在乎地方小，取胜在于是否有威势，失败在于丧失气势。实力强就能战斗，实力弱就会逃跑；气势旺盛部队战斗力就强，气势低落肯定要败。过去吴王夫差拥有方圆两千里的土地，步卒七十万，向南和越国开战，把越王勾践困于会稽山中；向北又和齐国打在艾陵击败齐军；向西又和晋国定侯会盟，在黄池制伏晋平侯。这样的战绩是充分利用了兵民士气这种实力。后来，夫差骄横纵欲、拒绝听谏，爱听奉承话，而且暴戾骁悍，从而铸成大错，还不能及时悔悟，大臣怨恨、百姓不能归附。越王勾践只率精兵三千，就在干隧消灭了夫差，这是凭借情势制伏了吴王的虚。气势有虚有实，二者可以互相转化，好比光明转向黑暗一样。所以胜利之师并不总是士气高昂、斗志昂扬，败军也不总是士气低落。善于用兵的人能鼓舞民气等待敌军虚弱，不能用兵的常常挫伤自己的民气等着敌军气势旺盛。所以气势的“虚”与“实”，是兵家最珍视的。

卷十六　说山训

【题解】

说山的意思是以寓言等解说“道”的根本与自然界和人类社会的道理，这样的解说如群山一样多。作者认为，做事要防患于未然，要掌握事物的特性，要有先后次序，要注意事物之间是相辅相成的。

【原文】

人不小学，不大迷；不小慧，不大愚。

【译文】

人拘于小觉而不广博，不能做到大彻大悟，就会有大的糊涂；人如果卖弄聪明，不能通晓变化，就会干出大的蠢事。

【原文】

人莫鉴于沫雨①，而鉴于澄水②者，以其休止不荡也。

【注释】

①鉴：照。沫雨：下雨后积成的浑水。

②澄水：清澈的水。

【译文】

人们不用雨水泡沫来照镜子，而用清澈的河水当镜子，是因为清水静止而不动荡。

【原文】

詹公之钓，千岁之鲤不能避；曾子攀柩车，引輴[①]者为之止也；老母行歌而动申喜，精之至也。瓠巴鼓瑟，而淫鱼出听；百牙鼓琴，而驷马仰秣[②]；介子歌龙蛇，而文君垂泣。故玉在山而草木润，渊生珠而岸不枯。

【注释】

①輴（chūn）：即柩车。

②仰秣（mò）：即仰头嘶叫。秣，通“沫”，即口水。

【译文】

詹何垂钓的技术，千年的鲤鱼也不能够避开；曾子攀扶在亲人的柩车上，悲痛万状，使拉灵车的人都停下来为他哭泣；行乞的老母亲在街上唱起悲歌，触动了离散多年的儿子申喜，母子得以相见，这是精诚达到了极点的结果。瓠巴弹瑟，江中的游鱼也要浮来倾听；伯牙鼓琴，马也会仰首吐沫而共乐；介子推唱起龙蛇之歌，晋文公重耳泪流不止。所以产玉的山，草木肯定滋润茂盛，产珍珠的深渊，岸上的草木不容易枯萎。

【原文】

蚓无筋骨之强，爪牙之利，上食晞堁[①]，下饮黄泉，用心一也。

【注释】

①晞（xī）：干。堁（kè）：尘土。

【译文】

蚯蚓虽然没有强健的筋骨，锋利的爪牙，但向上能够吃到尘土，向下可以饮到黄泉之水，原因在于它用心专一。

【原文】

清之为明，杯水见牟子；浊之为暗，河水不见太山。

【译文】

清水因为透明，一杯水就能照到眼睛；浊水因为浑昧，就是用整个黄河水也照映不出泰山来。

【原文】

视日者眩，听雷者聋[①]；人无为则治，有为则伤。无为而治者，载无也。为者，不能有也；不能无为者，不能有为也。人无言而神，有言者则伤。无言而神者载无，有言则伤其神。之神者，鼻之所以息，耳之所以听，终以其无用者为用矣。物莫不因其所有，而用其所无。以为不信，视籁与竽[②]。念虑者不得卧，止念虑，则有为其所止矣。两者俱亡，则至德纯矣。

【注释】

①聋：耳鸣。

②籁、竽：两种吹管乐器，作者用它们中空有孔，来证明虚空无为的作用。

【译文】

眼睛盯着太阳就会觉得眩晕，听响雷就会震聋耳朵。君主顺应时势规律社会就能得到治理，违背规律就要受到损害。顺应规律治理国家，行动上实施的是“无为”。有为者就不能没有好憎情欲，有好憎情欲就不能恬淡静漠，有所作为。顺应规律，不用说话便可达到神化的效果，背离规律，妄发议论就会受到伤害。不用说话达到神化效果的就是无为而治，妄发议论就会伤害它的神化效果。鼻子之所以能呼吸，耳朵之所以能听音，最终却是凭借中空才能发挥其中的作用。天下事物无不凭借着其中的空洞“无用”来发挥作用的，如果认为这种说法不真实，请看看籁和竽是怎样凭着管的中空洞孔来发音的吧。思虑事情的人不得安睡，想抛弃忧虑，就又得想办法如何去抛弃。彻底去掉全部的念虑和不念虑，那么就达到精神最纯粹的境界了。

【原文】

圣人终身言治，所用者非其言也，用所以言也。歌者有诗，然使人善之者，非其诗也。鹦鹉能言，而不可使长［言］①。是何则？得其所言，而不得其所以言。故循迹者，非能生迹者也。

【注释】

①长（zhǎng）言：教令法典方面的言语。

【译文】

圣人终生都在谈论修身治国平天下，但他实际上运用的并不是他说的那些言论，而是用产生这些话的基本精神。唱歌的歌词有诗句，然而使人觉得动听的并不是这些诗句本身，而是那美妙的旋律。鹦鹉能够模仿人说话，但不能让它讲有关政教法令方面的话，这是为什么呢？因为鹦鹉只能学舌效仿人说的话，它自己并不具备语言能力。所以只会追寻别人印记的人，不是能够开拓创新的人。

【原文】

四方皆道之门户牖向①也，在所从窥之。故钓可以教骑，骑可以教御，御可以教刺舟。越人学远射，参天而发，适[②]在五步之内，不易仪[③]。世已变矣，而守其故，譬犹越人之射也。

【注释】

①牖向：窗户。

②适：通“啻”，仅仅，只是。

③仪：法则，这里指射箭技术。

【译文】

四面八方都有“道”的门和窗，看你从什么位置上去观察。所以善于垂钓的人可以指导人骑术，善于骑马的人可以教驾驭，善于驾驭的人可以教导人撑船，这四项技艺谨慎的道理是融会贯通的。越国人学习远射本领，仰头朝着天空发射，正好落在五步范围之内，因为他不知道要改变射箭的方向。世道已经变化，依然墨守成规，这就好比越人学射术一样。

【原文】

月望，日夺其光[①]，阴不可以乘阳也。日出，星不见，不能与之争光也。故末不可以强于本，指不可以大于臂。下轻上重，其覆必易。一渊不两鲛[②]。

【注释】

①日夺其光：指农历每月十五，月亮和太阳成直线，地球在中间，遮挡了日光，所以会发生月食现象。

②鲛：鲨鱼。

【译文】

月亮在每月十五时圆满，和太阳东西相望成直线，月亮本身没有光，这就是它不能凌驾于太阳之上的缘故。太阳一出来，星星就不见了，那是因为它们不能和太阳争光。所以末枝不可能强过根本，手指不可能粗过胳膊。一个物体下轻上重，肯定要倾覆。一个深渊中不能同时生活两条鲨鱼。

【原文】

水定则清正，动则失平，故惟不动，则所以无不动也。江、河所以能长百谷者，能下之也。夫惟能下之，是以能上之。

【译文】

水静止时就清澈平稳，流动时就失去平静，所以只有在不动的时候才能保持平静。长江、黄河之所以能成为百谷之长，就是因为它们处于地势较低的地方，所以才能收纳百川。只有学会放低，才能够高高在上。

【原文】

天下莫相憎于胶漆，而莫相爱于冰炭。胶漆相贼①，冰炭相息②也。墙之坏，愈其立也；冰之泮③，愈其凝也，以其反宗。

【注释】

①贼：害。

②息：生。

③泮：融解。

【译文】

天下没有比胶和漆更互相憎恨的了，也没有比冰和炭更相爱的了。胶漆互相伤害，冰炭互相消灭。墙壁倒塌后，回归本土，胜过它的直立；冰块融化后，变为流水，胜过它的凝结，因为它们都返归本来面目了。

卷十七　说林训

【题解】

说林的意思是世间关于万事万物的道理多得像聚集的林木一样，但其核心是道家的思辨精神。本训名字疑源自《韩非子·说林》。作者认为，制度要随着时代的发展而改变；事物之间相互依存、相互转化；观察事物要透过现象，分清类别；做事情要坚持不懈；等等。

【原文】

足以蹍者浅矣，然待所不蹍而后行；智所知者褊[①]矣，然待所不知而后明。游者以足蹶[②]，以手抪[③]，不得其数，愈蹶愈败；及其能游者，非手足者矣。

【注释】

①褊（biǎn）：狭隘，有限。

②蹶（jué）：原指驴马跳起来用后腿向后蹬踢。这里指扑腾。

③抪（pō）：击打。

【译文】

用脚踩踏到的地方是很有限的，但是不停地迈步踩踏未曾涉足的地方就能走向远方；人用智力了解到的东西是很少的，但是不断地去认识新事物就会越来越聪明；初学游泳的人用脚乱扑腾、用手乱拍打，没掌握游泳的技艺，越扑腾拍打下沉得越快；而一旦掌握了游泳的诀窍，他就用不着手脚如此慌乱了。

【原文】

鸟飞反乡，兔走归窟，狐死首丘，寒将[1]翔水，各哀其所生。

【注释】

①寒将：一种水鸟。

【译文】

鸟儿飞得再远，也要返回故乡；兔子跑得再远，总要回到洞穴；狐狸死时，头总朝着巢穴；寒将鸟总爱贴着水面飞，它们各自都很爱自己生长的地方。

【原文】

毋贻盲者镜，毋予躄[1]者履，毋赏越人章甫[2]，非其用也。

【注释】

①躄（bì）：瘸腿。

②章甫：古代一种帽子。

【译文】

不要把镜子送给盲人，不要把鞋子送给跛脚的人，不要把帽子送给越地的人，因为这些东西都不是他们所需要的。

【原文】

椎固有柄，不能自椓[1]。目见百步之外，不能自见其眦。

【注释】

①椓（zhuó）：敲击。

【译文】

椎子虽然自己有柄，但不能敲击自己来安装；眼睛能看到百步开外，却看不到自己的眼角。

【原文】

狗彘不择甂瓯[①]而食，偷肥其体，而顾近其死。凤皇高翔千仞之上，故莫之能致。

【注释】

①甂（biān）：小瓦盆。瓯（ōu）：瓦盆，比甂稍大。

【译文】

猪狗只顾进食，不挑选装食物的器具，苟且贪生吃肥了自己，反而会接近死亡；凤凰高飞在千仞之上，不是圣德的君主不能呼喊它归来。

【原文】

月照天下，蚀于詹诸；腾蛇游雾，而殆[①]于蝍蛆；乌[②]力胜日，而服于鵻礼[③]，能有修短也。

【注释】

①殆：畏惧。

②乌：传说中太阳里的三足乌鸦。

③鵻（zhuī）礼：一种小黑鸟，据说能追赶乌鸦。

【译文】

月亮能够照亮天下，可是会被月中蟾蜍咬缺；腾蛇能在大雾中飞翔，却害怕小小的蝍蛆；三足乌鸦胜过太阳，却害怕比它小的鵻礼鸟，这说明它们的本领各有长短。

【原文】

莫寿于殇子，而彭祖为夭矣。

【译文】

如果认为没有比未成年便夭折更长寿的，那么彭祖活八百岁也算是短命了。

【原文】

短绠[1]不可以汲深，器小不可以盛大，非其任也。

【注释】

①绠（gěng）：汲水用的绳子。

【译文】

短绳不能到深井里打水，容量小的器皿盛不下大东西，因为不在它们的职责之内。

【原文】

怒出于不怒，为出于不为。视于无形，得其所见矣；听于无声，则得其所闻矣。

【译文】

愤怒是从没有怒气时发生的，有为是从无为而来的。在无形的地方观察，那么就可以看清所有物体；在无声的地方倾听，那么就没什么不能听到的。

【原文】

至味不慊[1]，至言不文，至乐不笑，至音不叫，大匠不斫，大豆不具，大勇不斗，得道而德从之矣。譬若黄钟之比宫，大簇之比[2]商，无更调焉。

【注释】

①慊（qiè）：满足。

②比：配。

【译文】

最好的味道尝着没有快感，最高深的言语不讲究文饰，最大的快乐是听了不会发笑，最美妙的音乐是听了不会呼叫，最高明的工匠不刻意砍削，最大的器皿不装食物，最勇敢的人不靠打斗取胜，掌握了道，德也随之而来。就像十二律中黄钟律配合五音中的宫音、太簇律配合商音，不需要更换其他调式。

【原文】

以瓦钰者全①，以金钰者跋②，以玉跓者发③，是故所重者在外，则内为之掘④。逐兽者目不见太山，嗜欲在外，则明所蔽矣。

【注释】

①钰（zhù）：通“注”，赌注，指赌博时押下的财物。全：心神安定。

②跋：走路不稳，这里指心神不安。

③发：疾速，这里指内心焦虑。

④内：内心。掘：通“拙”，笨拙。

【译文】

用瓦器作赌注的人步伐缓慢，用黄金作赌注的人内心焦虑，用美玉作赌注的人神色不安。所以过于看重外物，内心的智慧会变得笨拙。追逐野兽的人，眼睛会看不见泰山，欲望全在外物上了，那么光明就会被蒙蔽了。

【原文】

听有音之音者聋，听无音之音者聪；不聋不聪，与神明通。

【译文】

听有声音的音乐就会耳聋，听没有声音的音乐的人耳朵听得清楚；既不聋又不灵，才能和神明相通。

卷十八　人间训

【题解】

本训用生动的故事阐述了处理人世间如祸福、得失、损益、利害等各种相对关系的方法。作者认为，只有兼具把握宏观的思维——心、应对复杂问题的手段——术、运用自然和社会规律的根本——道，才能处理好人世间的各种问题。

【原文】

清净恬愉，人之性也；仪表规矩，事之制也。知人之性，其自养不勃；知事之制，其举措不或。发一端，散无竟；周八极，总一筦，谓之心。见本而知末，观指而睹归，执一而应万，握要而治详，谓之术。居智所为，行智所之，事智所秉，动智所由，谓之道。道者，置之前而不挚[①]，错之后而不轩，内之寻常而不塞，布之天下而不窕。是故使人高贤称誉己者，心之力也；使人卑下诽谤己者，心之罪也。夫言出于口者，不可止于人；行发于迩者，不可禁于远。事者难成而易败也，名者难立而易废也。千里之堤，以蝼蚁之穴漏；百寻之屋，以突隙之烟焚。尧戒曰："战战栗栗，日慎一日。"人莫蹪[②]于山，而蹪于垤[③]。是故人者轻小害，易微事，以多悔。患至而后忧之，是犹病者已惓[④]，而索良医也。虽有扁鹊、俞跗[⑤]之巧，犹不能生也。

【注释】

①挚（zhì）：低。

②蹪（tuí）：同“颓”，颠倒。

③垤（dié）：小土堆。

④惓（juàn）：危殆。

⑤俞跗（fū）：传说中黄帝时期的名医。

【译文】

清静恬淡，是人的本性；法则规章，是处世的法度。知道了人的本性，人们自身的修养就不会混乱；懂得处世的原则，人的行为举止就不会感到困惑。从一端出发，而消散到没有止境之地，周游八极，又回归到它的中枢，这就是意识主宰心的作用。看到万物的本原就能推知未来，观察到指向就能预见到归宿，执掌一方面应对万千变化，把握纲领就能处理繁难，这是权术的定义。静下来知道做什么，行动时知道该去哪里，处事知道所执掌的准则，举动时知道来历缘由，这就是道。道，搁在前头不低伏，放在后面不翘起，放到寻常之处不会堵塞，散布天下又不留空隙。所以使别人推崇赞誉自己，是心的力量；使人家轻视诽谤自己，是心的罪过。话是从你嘴里说出的，不能够被别人制止；行为发生在你自己身上，远处的人没法阻拦你。事情难以成功却容易失败，名声难以树立却容易毁坏。千里长堤，常常因为蝼蚁的洞穴渗漏而崩塌；百丈高楼，因为烟囱缝隙的火苗而被焚灭。尧自我警告说：“战战栗栗，一天比一天更谨慎。”人不会被大山撞倒，却被小土堆绊倒。所以，人们一般都轻视小事，把小害看得容易，以致酿成大祸后才为之后悔。灾祸降临后才去忧愁，这就好比已经生了重病才去求良医，即使找到扁鹊、俞跗这样的神医也难以让病人活命。

【原文】

夫祸之来也，人自生之；福之来也，人自成之。祸与福同门，利与害为邻，非神圣人，莫之能分。凡人之举事，莫不先以其知规虑揣度，而后敢以定谋。其或利或害，此愚智之所以异也。晓自然以为智，知存亡之枢机，祸福之门户，举而用之，陷溺于难者，不可胜计也。使知所以为是者，事必可行，则天下无不达之涂矣。是故知虑者祸福之门户也，动静者利害之枢机也。百事之变化，国家之治乱，待而后成。是故不溺于难者成，是故不可不慎也。

【译文】

灾祸的降临是自己招引的，幸福的到来也是自己促成的。灾祸和幸福同出一个门户，利益和患害是近邻，不是圣明之人便难以认清其中的奥妙。大凡人们的行事，都要先用智慧思考一番，然后才敢确定自己的计划，实施下来的结果，有的是利有的是害，这就是所谓聪明人和蠢人的主要区别。但是那些聪明人自以为明白存亡的关键、祸福的由来，办事时还是会陷入危境，这种情形数不胜数啊。假如知道自己所干的事情是正确的，事情一定是可行的，那么天下也就没有不通的道路了。但事实并非如此。可见，智慧思虑是祸福的根由，行为举止是利害的关键。百事的变化、国家的治乱，都有待正确的思想才能成功，因此不可不谨慎啊！

【原文】

圣人敬小慎微，动不失时；百射重①戒，祸乃不滋；计福勿及，虑祸过之。同日被霜，蔽者不伤；愚者有备，与知者同功。

【注释】

①射：中伤。重（chóng）：层层。

【译文】

圣人警惕细小的事情发生，行为举动适合时宜；对于纷繁复杂的有害现象重重设防，灾祸才不会发生。考虑好的事情不必仔细，防备祸患要多加谨慎。同时受到霜的侵蚀，有遮护的东西不易受伤；愚钝的人有了防备，就和聪明人一样成功。

【原文】

夫爝火[①]在缥烟之中也，一指之所能息也；塘漏若鼷穴，一墣之所能塞也。及至火之燔孟诸而炎云台[②]，而水决九江而渐荆州，虽起三军之众，弗能救也。夫积爱成福，积怨成祸，若痈疽之必溃也，所浼[③]者多矣。诸御鞅复于简公曰："陈成常、宰予二子者，甚相憎也。臣恐其构难而危国也，君不如去一人。"简公不听，居无几何，陈成常果攻宰予于庭中，而弑简公于朝。此不知敬小之所生也。

【注释】

①爝（jué）火：小火把。

②燔（fán）：烧。孟诸：古代宋国的大泽名。云台：指楚国的云梦泽。

③浼（měi）：污染。

【译文】

小小的火星在冒着轻烟的时候，一根手指就能按熄；堤坝的漏洞像老鼠洞那么大时，一个土块就能把它堵住。但等烈火烧到孟诸泽，蔓延的范围有云梦泽那么大一片，洪水从九江决口、淹没了整个荆州，那么即使调动千军万马，也不能拯救它了。爱抚积累就能成为幸福，积聚怨恨就会酿成祸患，如同痈疽恶疮必然会溃烂，所污染的地方必定很多。诸御鞅向齐简公汇报说："陈成常、宰予二人积怨很深，我怕他们俩会造成灾难而殃及国家，大王您不如除掉他们其中一个。"简公不听。没过多久，陈成常果然在庭院里杀死宰予，又在朝廷上杀死了齐简公。这就是不知道谨慎处理小事而产生的恶果。

【原文】

鲁季氏与郈①氏斗鸡，郈氏介②其鸡，而季氏为之金距。季氏之鸡不胜，季平子怒，因侵郈氏之宫而筑之。郈昭伯怒，伤之鲁昭公曰："祷于襄公之庙，舞者二人③而已，其余尽舞于季氏。季氏之无道无上久矣，弗诛必危社稷。"公以告子家驹。子家驹曰："季氏之得众，三家为一。其德厚，其威强，君胡得之？"昭公弗听，使郈昭伯将卒以攻之。仲孙氏、叔孙氏相与谋曰："无季氏，死亡无日矣。"遂兴兵以救之。郈昭伯不胜而死，鲁昭公出奔齐。故祸之所从生者，始于鸡定。及其太也，至于亡社稷。

【注释】

①郈（hòu）：鲁国大夫。

②介：披上铠甲。

③二人：古代乐舞行列，一行八人叫作一佾，礼制规定，天子用八佾，诸侯用六佾，大夫用四佾，襄公为诸侯，当用六佾。但季平子祭襄公只用两人，是对鲁公室的不敬。《论语》载季氏曾以八佾舞于庭，是拟于天子。

【译文】

鲁国的季平子和郈昭子两家举行斗鸡比赛，郈氏给鸡披上铠甲，而季氏给鸡装上金属尖爪。季氏的鸡斗输了，季平子非常恼火，乘机侵占了郈家的宅院，还修起了围墙。郈昭伯也怒气冲天，在鲁昭公面前毁谤季平子说："祭祀襄公庙堂时，季氏只用两个舞者，其余的人全都在季氏宫廷里跳舞。季氏大逆不道、欺君瞒上已经很久了，如果不杀掉季平子，必定会危害社稷。"鲁昭公将此事告诉了子家驹。子家驹说："季氏受到很多人的拥戴，三兄弟又结成一体，他们德高望重，实力强大，君主怎么能打胜他呢？"鲁昭公不听，硬派郈昭伯率军去攻打季氏。仲孙氏和叔孙氏一起商量说："如果没有季平子，我们两家不用多久都会灭亡。"于是两家出兵去救助季平子。结果郈昭伯战败而死，鲁昭公也出逃到齐国。这场灾难的苗头开始于斗鸡的小事，酿成大祸之后，竟会导致国家灭亡。

【原文】

故蔡女荡舟，齐师大侵楚[①]；两人构怨，廷杀宰予，简公遇杀，身死无后，陈氏代之，齐乃无吕[②]；两家斗鸡，季氏金距，郈公作难，鲁昭公出走。故师之所处，生以荆楚；祸生而不蚤[③]灭，若火之得燥，水之得湿，浸而益大。痈疽发于指，其痛遍于体。故蠹啄剖梁柱，蚊虻走[④]牛羊，此之谓也。

【注释】

①蔡女荡舟，齐师大侵楚：《左传》载齐桓公和夫人蔡姬在苑囿水池中划船游玩，蔡姬摇荡小舟吓坏了桓公，桓公一怒之下把蔡姬送回了蔡国，但并未休弃。但蔡侯怒将蔡姬改嫁他人。于是桓公兴兵攻蔡，蔡国溃败，桓公又伐蔡的友邻楚国，打到召陵议和。

②齐乃无吕：指吕望（姜子牙）开创的齐国政权被陈氏篡夺，吕氏宗庙从此绝祠。

③蚤：通“早”。

④走：使……奔跑。

【译文】

因此蔡国的公主荡舟戏耍齐桓公，由此引起齐国攻打楚国；陈成常和宰予结仇，造成宰予在庭院被杀，齐简公也为此丧命，自身惨死后后代残灭，陈氏取而代之，齐国从此不再存在吕氏。季氏和郈氏斗鸡，季氏给鸡装上金属尖爪，郈氏发难，鲁昭公出逃。所以军队驻扎的地方，长满荆棘；祸患的苗头不及时扑灭，就会像干柴碰上烈火、大水得到湿润的土地一样，蔓延扩散开来，以至于不可收拾。痈疽恶疮虽然长在手指上，它引起的疼痛却遍及全身。蠹虫白蚁能毁坏柱梁，蚊虻会叮得牛羊痛得乱跑。所有这些，都是说明小害引起大害的道理。

卷十九　修务训

【题解】

修务的意思是勉励人们致力于各自的事务，为万民立功。作者首先改造了老庄思想消极的“无为”思想，认为“无为”是按规律办事，“有为”是强行违反规律办事；同时，强调通过学习和教育达到自强的目的。

【原文】

或曰：“无为者，寂然无声，漠然不动，引之不来，推之不往，如此者乃得道之像。”吾以为不然，尝试问之矣：若夫神农、尧、舜、禹、汤，可谓圣人乎？有论者必不能废。以五圣观之，则莫得无为明矣。古者民茹草饮水，采树木之实，食蠃蛖[①]之肉，时多疾病毒伤之害，于是神农乃始教民播种五谷，相土地宜燥湿肥垸[②]高下；尝百草之滋味，水泉之甘苦，令民知所避就。当此之时，一日而遇七十毒。尧立孝慈仁爱，使民如子弟。西教沃民，东至黑齿，北抚幽都，南道交趾。放讙兜于崇山，窜三苗于三危，流共工于幽州，殛鲧于羽山[③]。舜作室，筑墙茨[④]屋，辟地树谷，令民皆知去岩穴，各有家室。南征三苗，道死苍梧。禹沐浴霪雨，栉扶风[⑤]，决江疏河，凿龙门，辟伊阙；修彭蠡之防，乘四载[⑥]，随山栞木[⑦]，平治水土，定千八百国。汤夙兴夜寐，以致聪明，轻赋薄敛，以宽民氓；布德施惠，以振困穷；吊死问疾，以养孤孀；百姓亲附，政令流行。乃整兵鸣条，困夏南巢，谯[⑧]以其过，放之历山。此五圣者，天下之盛主，劳形尽虑，为民兴利除害而不懈。奉一爵酒，不知于色；挈一石之尊，则白汗交流。又况羸天下之忧，而海内之事者乎？其重于尊亦远矣。且夫圣人者，不耻身之贱，而愧道之不行；不忧命之短，而忧百姓之穷。是故禹之为水，以身解于阳盱之河；汤旱，以身祷于桑山之林。圣人忧民如此其明也，而称以无为，岂不悖哉？

【注释】

①蠃（luó）：通“螺”。蛖（bàng）：同“蚌”。

②墝（qiāo）：土壤坚硬贫瘠。

③殛（jí）：谴责，流贬。鲧（gǔn）：相传是夏禹之父，尧时治水无功。羽山：神话中作为鲧遭流放而死之处，今不详其地。

④茨（cí）：用茅草盖房顶。

⑤栉（zhì）：梳。扶风：疾风。

⑥四载：四种运载工具，旱路坐车，水路乘船，泥路用橇，山路用梮（jū）。

⑦随山栞（kān）木：随着山岭的形势，斩木通道，以便治水。栞，同“刊”，砍削。

⑧谯（qiào）：同“消”，责备。

【译文】

有人说：“所谓无为，就是寂静地没有声音，淡漠地没有行动，拉他不来，推他不去，像这样才是掌握了道的法则。”我不这样认为。试说一说我考察的结果：像神农、尧、舜、禹、汤，可以称为圣人了吧？提出论题的人必定都不能否认他们的观点。考量这五位圣人，那么他们都没有做到无为。远古时候，人民吃野草、喝生水，采树上的果实充饥，吃生的螺蚌肉果腹，当时人们经常发生疾病毒伤的灾害。在这种情况下，神农氏就开始教导人民播种五谷，察看土地的适宜情况，看各自适宜什么样的作物；他还亲口尝百草的滋味、水的甘苦，指导百姓避开有害的而接近有益的。这段时间，神农一天内要遇到有毒的植物和水源七十次。尧帝奉行孝慈仁爱，对待人民如同对待子女一样。他亲自到西部教导沃民，东方到达黑齿，北边安抚幽都，南方到达交趾。他将讙兜流放到崇山，把三苗驱逐到三危，把共工流放到幽州，又将鲧流放在羽山直到死为止。舜帝教民建造房屋，筑土为墙，用茅草盖屋顶，使人民不再穴居，而各自建立家室。他又去南方征讨作乱的三苗，死在去苍梧的路上。夏禹冒着暴雨、顶着狂风，劳苦奔波，疏导江河，凿通龙门，劈开伊阙，修筑彭蠡湖堤防，乘坐四种交通工具。随着山势砍削树木做记号，整治土地，安定了一千八百个诸侯国。商汤起早贪黑忧心国事，用尽自己的聪明才智，减轻赋税，让人民过得宽裕；布施恩德，以赈救困穷之人；凭吊死者，慰问病人，抚养孤儿寡妇。因此人民亲附汤王，使政令能够顺利执行。于是汤王在鸣条整顿军队，把夏桀围困在南巢，谴责了他的罪行，然后把他流放到历山。这五位圣王，都是天下最具盛德的天子，他们劳累身体，殚精竭虑，为人民兴利除害而不敢有丝毫懈怠。捧起轻轻的一爵酒，脸上不会显出吃力的样子，但提起一石重的酒樽，就会大汗淋漓，更何况承受天下的忧虑、担负天下间的大事呢？这副担子远超于一樽酒的重量。况且对于圣人，不以自己低贱为耻辱，为了大道没有得到推行而惭愧；不担心自己寿命短暂，而为百姓的穷苦而忧困。所以夏禹为了治水，拿自己的身体作为抵押，在阳盱河边祈祷神灵消除灾祸；商汤时面临七年大旱，汤王在桑山之林，愿意以自己的身体为牺牲祈求上天降雨。圣人忧虑人民疾苦的事明摆在那儿，用无为来称说他们，难道不荒谬吗？

【原文】

若吾所谓无为者，私志不得入公道，耆欲不得枉正术；循理而举事，因资而立［功］；权自然之势，而曲故不得容者；政事而身弗伐，功立而名弗有。非谓其感而不应，攻而不动者。若夫以火熯[①]井，以淮灌山，此用己而背自然，故谓之有为。若夫水之用舟，沙之用肆[②]，泥之用輴[③]，山之用蔂[④]；夏渎而冬陂；因高为田，因下为池，此非吾所谓为之。

【注释】

①熯（hàn）：烘烤。

②肆：一种沙地上所用的交通工具。

③輴：古代在泥泞沼泽地上所用的交通工具，又叫“橇”。

④蔂：通“樏”（léi），一种登山时乘坐的交通工具。

【译文】

像我所说的无为，是指偏私的念头不能够进入到公道之中来，嗜欲爱好不能使正道歪曲；要遵循事理来做事，根据实际情况来成就事业，权衡自然趋势，而虚伪奸诈不得容纳；事业成功了不夸耀，功业树立了而不称说有功。而不是所说的感动而不响应、压迫而不行动的情况。那种用火去烘烤井水、将淮河水引入八公山的做法，都只是根据一己意愿而违背自然规律，因此称它为有为。像在水中乘船，沙地用肆，沼泽用輴，山地用蔂；夏天疏通沟渠，冬天开挖池塘；顺着山势而建成梯田，沿着低洼处修建池塘，这些做法就不是我所说的有为。

【原文】

世俗废衰，而非学者多：“人性各有所修短，若鱼之跃，若鹊之驳[①]，此自然者，不可损益。”

淮南子

【注释】

①驳：羽毛颜色杂多不纯。

【译文】

社会习俗废弛衰败，非议学习的人很多，他们认为："人的天性各有长短，好比鱼的跳跃高度，喜鹊羽毛混杂一样，都是自然形成的，不能增加或减少，因此也不必学习。"

【原文】

吾以为不然。夫鱼者跃，鹊者驳也，犹人马之为马，筋骨形体，所受于天，不可变。以此论之，则不类矣。夫马之为草驹之时，跳跃杨蹄，翘尾而走，人不能制；龁咋足以噆①肌碎骨，蹶蹄足以破卢陷匈②。及至圉人扰③之，良御教之，掩以衡扼，连以辔衔，则虽历险超堑弗敢辞。故其形之为马，马不可化；其可驾驭，教之所为也。马，聋虫也，而可以通气志，犹待教而成，又况人乎？

【注释】

①龁咋（hé zé）：咬。噆（zǎn）：咬破。

②蹶：用脚蹬踢。蹄：通"踶"，踏。卢：同"颅"，头。匈：同"胸"。

③圉（yǔ）人：养马官。扰：驯服。

【译文】

但我认为不是这样。鱼的腾跃、喜鹊羽毛斑驳，就像人是人、马是马一样，筋骨形体都是天生的，不能够变更。用这种观点来讨论学习，就不伦不类了。当马还是未经调教的马驹时，跳跃时扬起蹄子，举起尾巴而奔跑，人不能控制它；牙齿足以咬碎人的肌肉、骨头，扬起蹄子足以踢破头颅、胸膛。但等养马人驯服了它，再用优秀驭手驾驭它，给它套上辔头、系上缰绳后，就是要它经历险境、跨越壕沟，它都不敢躲避。因此它的形体是马，马的样子不能够变化，但经过调教、驾驭就可以改变野性。这无知的马尚且能通晓人意，经过调教而使之驯服有用，更何况人呢？

【原文】

且夫身正性善，发愤而成，帽凭而为义，性命可说，不待学问而合于道者，尧、舜、文王；沉湎耽荒，不可教以道，不可喻以德，严父弗能正，贤师不能化，丹朱、商均也；曼颊皓齿，形夸骨佳，不待脂粉芳泽而性可说者，西施、阳文也；啳睽哆吻①，籧蒢戚施②，虽粉白黛黑，弗能为美者，嫫母、仳倠③也。夫上不及尧、舜，下不及商均，美不及西施，恶不若嫫母，此教训之所俞，而芳泽之施。

【注释】

①啳睽哆吻（quán kuí chǐ huì）：指眼歪缺齿的样子。啳，牙齿不整齐。睽，双眼不对称。哆，张口的样子。吻，嘴不正。

②籧蒢（qú chú）：指鸡胸等一类不能前弯低俯的病态。戚施：指驼背不能后仰的病态。

③嫫母、仳倠（pí suī）：古代丑女。

【译文】

至于那些身心端正性情美好的，发愤成就仁德，慷慨成全正义，天性令人喜悦，不必学习便可以与道相合，这样的人也只是尧、舜、文王等少数几位。那些沉溺酒色放纵无度，不能用道德来教化晓谕，严厉的父亲不能够使他正直，贤明的师长不能够使他感化，这种冥顽不灵的人也只是丹朱、商均少数几个。脸蛋细腻，牙齿洁白，体态柔美，骨架匀称，不施粉脂，而形态让人欢悦的，也只有西施和阳文。而缺牙歪嘴，双眼歪斜，鸡胸驼背，即使扑粉画眉也不能变成美人的，也只有嫫母、仳倠这样的丑女了。而大部分人是上不及尧舜圣明、下不至于商均那样卑鄙，美不及西施、丑不至于像嫫母，就需要用教训来引导他们，用芳香的油脂来打扮他们了。

【原文】

且子有弑父者，然而天下莫疏其子，何也？爱父者众也。儒有邪辟者，而先王之道不废，何也？其行之者多也。今以为学者之有过而非学者，则是以一饱[①]之故，绝谷不食；以一蹪[②]之难，辍足不行，惑也。今曰良马，不待册錣[③]而行；驽马虽两錣之不能进。为此不用册錣而御，则愚矣。夫怯夫操利剑，击则不能断，刺则不能入；及至勇武，攘捲一捣，则摺胁伤干[④]。为此弃干将、镆邪而以手战，则悖矣。所为言者，齐于众而同于俗。今不称九天之顶，则言黄泉之底，是两末之端义，何可以公论乎？夫橘柚冬生，而人曰冬死，死者众；荠、麦夏死，人曰夏生，生者众多。江、河之回曲，亦时有南北者，而人谓江、河东流；摄提、镇星[⑤]，日月东行，而人谓星辰日月西移者，以大氐为本。胡人有知利者，而人谓之駤[⑥]；越人有重迟者，而人谓之訬[⑦]，以多者名之。

【注释】

①饱：同“噎”，食物等阻塞喉咙。

②蹪（tuí）：颠扑，跌倒。

③錣（zhuì）：马鞭末端用来刺马的铁针。

④摺（zhé）：折断。干：躯体。

⑤摄提：岁星。镇星：土星。古人测得土星二十八年周天一次，每年经

一宿，就像逐年镇压二十八宿，故将土星称为镇星。

⑥骘（zhì）：横蛮固执。

⑦訬（chāo）：敏捷轻巧。

【译文】

再说有杀死自己父亲的儿子存在，但天下并没有人因此而疏远他们的儿子，这是为什么呢？因为儿子爱父亲的还是占多数。同样，儒生中也有行为不轨的，但先王之道却始终没有废弃，为什么呢？因为推行先王之道的人还是多数。现在如果因为求学的人有过错而就此非议他们，就好比一次被饭噎住，便永远不再吃饭；一次绊倒了就一辈子不走路，真的是太糊涂了。现在对良马，不需要使用马鞭、马刺就能奔跑；而低等的劣马，你即使用两副马刺它也不抬脚。如果因为这样而不用马鞭、马刺来驾驭所有马匹，那么就是愚蠢了。就像怯懦之人手拿利剑，却砍也砍不断，刺也刺不深；等到勇士上阵，挥拳一击，就能将对手打得肋骨折断、躯体受伤。但是因此就抛弃干将、镆邪那样的宝剑而光凭赤手搏斗，那就违背常理了。所发表的言论，应该是符合大多数人的习性。现在的言论不是夸到天上，就是贬到地底，这样从两个极端来发表言论，哪里还能做到公正？橘柚在冬天生长，但人们都说植物冬天枯死，这是因为冬天枯死的植物多；荠菜、麦类是夏天枯死，但人们都说植物夏天生长，这是因为夏天生长的植物多。长江、黄河曲曲弯弯，也有时候出现南北走向，但人们总是说长江、黄河向东流；岁星、土星、日、月由西向东行，但人们总说日月星辰向西移，这是以大概的情况作为依据。胡人中也有明白人，但人们总说胡人横蛮固执；越人中也有愚钝迟缓的，但人们总说越人身手矫健，这是用居多数情况来说的。

【原文】

若夫尧眉八彩，九窍通洞，而公正无私，一言而万民齐；舜二瞳子，是谓重明，作事成法，出言成章；禹耳参漏①，是谓大通，兴利除害，疏河决江；文王四乳，是谓大仁，天下所归，百姓所亲；皋陶马喙，是谓至信，决狱明白，察于人情；禹生于石；契生于卵；史皇②产而能书；羿左臂修而善射。若此九贤者，千岁而一出，犹继踵而生。今无五圣之天奉，四俊之才难，欲弃学而循性，是谓犹释船而欲蹍③水也。夫纯钩、鱼肠剑之始下型，击则不能断，刺则不能入，及加之砥砺，摩其锋剸，则水断龙舟，陆钊犀甲④。明镜之始下型，曚然未见形容，及其粉以玄锡⑤，摩以白旃⑥，鬓眉微毫，可得而察。夫学，亦人之砥锡也，而谓学无益者，所以论之过。

【注释】

①耳参漏：耳有三个孔道。参，叁。

②史皇：仓颉。

③碾：履。

④钊（tuán）：割。犀甲：用犀牛皮制成的铠甲。

⑤粉：摩，涂抹。玄锡：水银和锡化合而成的液体，今称锡汞合剂，作抛光之用。

⑥旃（zhān）：同“毡”。

【译文】

再说像尧的眉宇呈八种色彩，耳目畅达，公正无私，一句仁义之言就能使万民敬仰；舜眼里有两个瞳仁，所以有特异的眼力，做出的事情成为后世的典范，发表的言论成为后世的章法；禹的耳朵有三个孔道，因而无所不通，为民兴利除害，疏通黄河长江；周文王生有四个乳房，这是仁爱的表现，所以天下归顺他，百姓亲附他；皋陶生着马嘴，这是诚实的象征，判案明白无误，明察人间真情；禹从母亲所化的石头中生出来；契从鸟蛋中出生；史皇生下来就能写字；羿左臂修长因而善于射箭。像这九位贤人，世上千年才出一个，但是就像一个接着一个产生一样。现在一般人既没有五圣那样的天赋，又没有四俊那样的才能，却想抛弃学习而遵从天性，这就好比丢弃船只靠踩水涉江渡河一样，结果是可想而知的。那纯钩、鱼肠宝剑刚出模子的时候，钝得砍东西都砍不断、刺东西也刺不进；但等到在磨刀石上，磨快它的锋刃，在水中能砍断龙舟，在陆地上能刺穿犀牛皮铠甲。铜镜刚从模子里出来时，也模模糊糊的，照不出容貌身影来；但等到用玄锡抛光，人的鬓发、眉毛、毫毛一点极小的差别都能照得清清楚楚了。学习，也就是人的磨刀石和玄锡，如果有人说学习无用，这是提出这种观点的人的错误。

卷二十　泰族训

【题解】

泰是大的意思，族是聚的意思，泰族就是聚而又聚，集中总结。所以本训是对全书理论内容的系统总结，集中体现了黄老思想的自然观和治国理念。作者认为，人类社会必须按照自然规律办事；人类的各种制度都要以自然规律为指导；治国要懂得物极必反的道理，要掌握根本——得贤才、得人心。

【原文】

圣人天覆地载，日月照，阴阳调，四时化，万物不同，无故无新，无疏无亲，故能法天。天不一时，地不一利，人不一事，是以绪业①不得不多端，趋行不得不殊方。五行异气，而皆适调，六艺异科，而皆同道。温惠柔良者，《诗》之风也；淳庞敦厚者，《书》之教也；清明条达者，《易》之义也；恭俭尊让者，《礼》之为也；宽裕简易者，《乐》之化也；刺几辩义②者，《春秋》之靡也。故《易》之失鬼，《乐》之失淫，《诗》之失愚，《书》之失拘，《礼》之失忮③，《春秋》之失訾④。六者圣人兼用而财⑤制之。

【注释】

①绪业：事业。

②几：通“讥”。义：通“议”。

③忮（zhì）：嫉妒。

④訾（zǐ）：诋毁。

⑤财：通“裁”，裁断。

【译文】

圣人之德像上天覆盖一切，如同日月照耀，如同阴阳调和，如同四季变化，对待不同的事物千差万别，不分新旧、亲疏，都能一视同仁，因此能够效法天道。上天不可能只有一个季节，大地也不会只有一种利益，人也不可能从事一样的事情，因此事业应该是多方面的，奔驰行走于不同的方向。五行代表着不同的气质，但是都有所适宜协调；六艺门类不同，而都符合大道。温惠柔良，是《诗经》的风格；宽大敦厚，是《尚书》的教义；清明通达，是《易经》的要义；恭俭尊让，是《仪礼》的要求；宽裕简易，是《乐经》的感化主旨；讽刺时政、辨明是非，是《春秋》的美义。所以《易经》的失误在于注重鬼神，《乐经》的失误是在于成为淫乱；《诗经》的过失在于使人愚蠢，《尚书》的失误在于使人拘泥旧法；《仪礼》的过失在于使卑尊互相嫉恨；《春秋》的失误在于使人互相非议。这六种经典圣人兼取并用，加以裁定。

【原文】

失本则乱，得本则治；其美在调，其失在权。水火金木土谷，异物而皆任；规矩权衡准绳，异形而皆施；丹青胶漆，不同而皆用。各有所适，物各有宜。轮员舆方，辕从衡横，势施便也；骖欲驰，服欲步[①]；带不厌新，钩不厌故[②]，处地宜也。《关雎》兴于鸟，而君子美之，为其雌雄之不乖居也；《鹿鸣》兴于兽，君子大之，取其见食而相呼也；泓之战[③]，军败君获，而《春秋》大之，取其不鼓不成列也；宋伯姬坐烧而死[④]，《春秋》大之，取其不逾礼而行也。成功立事，岂足多哉？方指所言，而取一概焉尔。

【注释】

①骖欲驰，服欲步：骖指马车两侧的马，不驾辕，负担小。所以说“移欲驰”；服指马车中间驾辕的马，负担重，所以说“服欲步”。

②钩不厌故：钩多用金玉制成，越用越光洁，所以“不厌故”。

③泓之战：公元前638年，宋襄公与楚军战于承水，宋襄公自称“仁义之师”，要等楚军渡过泓水、摆好阵后再开战。不允许司马所建议的在楚军渡河之际开战，结果被楚军打败，自己也被俘虏。事见《左传·僖公二十三年》。泓，水名，在今河南柘城县北。

④宋伯姬坐烧而死：事见《左传·襄公三十年》。

【译文】

失去根本就会造成混乱，把握根本就能把事办好；其中的精华在于协调理顺各种关系，而失误在于权变。水火金木土和谷，不同的种类而能得到使用；规矩权衡和准绳，形体不同却有适用的对象；丹青胶漆性质不同，但各有各的用途。这说明物品都有适宜的标准。圆的轮子方的车子，车辕是直的，车衡是横的，形态不同带来不同的便利。骖马喜欢快跑，中央的服马习惯慢走；带钩是不讨厌用旧的，因为它们各自所处的环境有不同的适宜的特点。《诗经》的《关雎》篇以鸟鸣起兴，而君子赞美它，因为雌雄有别不杂居；《鹿鸣》篇用鹿鸣起兴，君子重视它，因为鹿群有发现食物互相呼唤的美德。宋楚泓水之战中，宋军惨败而宋襄公被俘，但《春秋》却尊崇宋襄公，这是因为看重宋襄公不攻击还没排好阵势的敌军的仁义思想；宋伯姬坐在席位上被火活活烧死，《春秋》尊崇她，因为看重宋伯姬不越礼行事的品行。成就事业建立功名，哪里需要做很多事情呢？只要抓住根本就行了。典籍所记载的，也只是取用其中一个方面。

【原文】

治大者道不可以小，地广者制不可以狭，位高者事不可以烦，民众者教不可以苛。夫事碎难治也，法烦难行也，求多难赡[①]也。寸而度之，至丈必差；铢而称之，至石必过；石秤丈量，径而寡失；简丝数米，烦而不察。故大较[②]易为智，曲辩难为惠。故无益于治，而有益于烦者，圣人不为；无益于用，而有益于费者，智者弗行也。故功不厌约，事不厌省，求不厌寡。功约易成也，事省易治也，求寡易赡也。众易之，于以任人易矣。孔子曰："小辩破言，小利破义，小义破道，小见不达，必简。"

【注释】

①赡：满足。

②大较：大法。

【译文】

治理大的国家治术不能够偏小，疆土辽阔的国家制度不能够偏狭，处在高位的人管事不能够烦琐，百姓众多时教化不能苛细。事务琐碎就难以办理，法令繁杂就难以推行，欲求多就难以满足。一寸寸去度量，量到一丈长时就一定会出现误差；一铢铢去称量，称到一石时就一定会有差错；大的物体用石和丈为单位来称量，直截了当又减少失误；挑选丝头、细数米粒，既烦琐又无功。所以从大的方面入手就容易运用智慧，纠缠于细枝末节就难以成就聪明。所以对那些无益于治理却只会添麻烦的事，圣人不会去做；对那些不实用却只会浪费财力的事，聪明人也是不会去干的。所以要立功业就要不厌恶简约，要干大事就要不害怕俭省，求取不怕寡少。功业简约容易完成，事物俭省容易办到，欲求寡少容易满足。容易办成的事情，对于用人也就容易了。孔子说："太烦琐的论证会损害大的规律，计较蝇头小利会妨害大的义理，卖弄雕虫小技不能通达人道，通达大道必须行圣人之道。"

【原文】

河以逶蛇，故能远；山以陵迟，故能高；阴阳无为，故能和；道以优游，故能化。夫彻于一事，察于一辞，审于一技，可以曲说，而未可广应也。蓼菜[1]成行，甂瓯有萓，称薪而爨[2]，数米而炊，可以治小，而未可以治大也。员中规，方中矩，动成兽，止成文，可以愉舞，而不可以陈军；涤杯而食，洗爵而饮，盥而后馈，可以养少，而不可以飨众。

【注释】

①蓼（liǎo）菜：水草名。

②爨（cuàn）：炊，烧火做饭。

【译文】

黄河因为曲折连绵，所以能通达远方；高山因为起伏不平，所以能高远广大；阴阳因为按照规律运行，所以能和谐共生；大道因为悠游不迫，所以能够化育万物。只通晓一类事，明白一种说法，精通一门技艺，只可以知道片面之说，但不可能广泛应付万物。办事像蓼菜成行那样排列整齐，像小盆有底座那样稳当可靠，称量薪柴而烧火，数着米粒来做饭，这样谨小慎微的人只能治小家，而不能治大国。圆符合圆规的要求，方符合矩尺的要求，行动效仿兽类，静止时文雅具有威仪，能够指挥乐舞，但不能指挥军队，洗净杯子再盛食物，洗好酒器再饮酒，洗手后再进食，这样的人可以负责几个人的饮食，但不能够招待大众。

【原文】

今夫祭者，屠割烹杀，剥狗烧豕，调平五味者，庖也；陈簠簋[1]，列樽俎，设笾[2]豆者，祝也；齐明盛服，渊默而不言，神之所依者，尸也。宰祝虽不能，尸不越樽俎而代之。故张瑟者，小弦急而大弦缓；立事者，贱者劳而贵者逸。舜为天子，弹五弦之琴，歌《南风》之诗，而天下治；周公肴臑[3]不收于前，钟鼓不解于悬，而四夷服。赵政昼决狱夜理书，御史冠盖接于郡县，覆稽趋留，戍五岭以备越，筑修城以守胡，然奸邪萌生，盗贼群居，事愈烦而乱愈生。

【注释】

①簠（fǔ）：古代祭祀时盛放稻、粱的器具，方形。簋（guǐ）：古代祭祀时盛放物品的器具，圆口两耳。

②笾（biān）：盛放果品的竹器。

③肴臑（nào）：泛指食物。臑，煮烂。

【译文】

现在祭祀，屠宰烹煮、剥狗烧猪、调和滋味，这是庖厨的责任；陈设簠簋、排列樽俎、放置笾豆，这是巫祝的工作；严肃地举行斋戒、穿着礼服、仪态深沉、闭口不言，神灵以他为代表，这是尸的责任。厨师和巫祝即使不能做好自己的工作，尸主也不能越职代替。所以鼓瑟的时候，总是小弦急促而大弦舒缓；处理事务，也是贱者辛苦而贵者安逸。舜担任天子时，弹着五弦琴，唱着《南风》诗，天下就得到了治理；周公饭菜摆在面前来不及吃，钟鼓悬挂在架上伴奏来不及解下，而四方异族就已归顺降服了；秦始皇白天判断案子，夜里处理文书，还派出监察御史到各个郡县反复稽查，奔走不停，又派兵戍守五岭来防备越人，修筑长城来防备胡人，但是奸邪还是不断滋生，盗贼成群结队地盘踞各地，事情越来越烦琐，而且混乱越来越多。

【原文】

故法者，治之具也，而非所以为治也；而犹弓矢中之具，而非所以中也。黄帝曰：“芒芒[1]昧昧，因天之威，与元同气。”故同气者帝，同义者王，同力者霸，无一焉者亡。故人主有伐国之志，邑犬群嗥，雄鸡夜鸣，库兵动而戎马惊。今日解怨偃兵，家老甘卧，巷无聚人，妖菑不生，非法之应也，精气之动也。故不言而信，不施而仁，不怒而威，是以天心动化者也；施而仁，言而信，怒而威，是以精诚感之者也；施而不仁，言而不信，怒而不威，是以外貌为之者也。故有道以统之，法虽少，足以化矣；无道以行之，法虽众，足以乱矣。

【注释】

①芒芒：通“茫茫”。

【译文】

所以法律只是治国的工具，而不是实现治理的目的；好比弓箭，只是射中目标的工具，而不是射中的原因一样。黄帝说：“淳朴广大啊，凭借着上天的神威，与天地元气相通为一。”所以和天同气的人可以称帝，和天同义的人可以称王，和天同力的人可以称霸，三方面一个都不具备的，就会灭亡。所以君王如有侵伐别国的念头，邑城里的狗就会成群吠叫，雄鸡会半夜打鸣，兵库里的兵器震动而战马嘶鸣。一旦和敌国消除仇怨，停止了战争，家中的父老就能睡得香甜，里巷中就不会聚集思想出征之人，妖异灾祸就不会产生。这些不是法令施行的效应，而是精诚之气感化的结果。因此不说话便显示诚信，不施恩惠就显示仁慈，不必动怒就显出威严，这是因为自然规律感应而引起的变化；施舍恩惠才体现仁慈，说话之后才显出诚信，发怒了才显示威严，这是真诚感动的结果；施舍了恩惠也显不出仁慈，信誓旦旦也不显得诚信，大发雷霆也没有威严，这是使用了表面手段而造成这个样子的。所以用道来统领，法令虽很少，却足以感化民众；没有用道来统领，即使法令很多，也只会引起混乱。

【原文】

治身，太上养神，其次养形。治国，太上养化，其次正法。神清志平，百节皆宁，养性之本也；肥肌肤，充肠腹，供嗜欲，养生之末也。民交让争处卑，委利争受寡，力事争就劳，日化上迁善而不知其所以然，此治之上也。利赏而劝善，畏刑而不为非，法令正于上而百姓服于下，此治之末也。上世养本，而下世事末，此太平之所以不起也。夫欲治之主不世出，而可与兴治之臣不万一[①]，以［不］万一求不世出，此所以千岁不一会[②]也。

【注释】

①不万一：不到万分之一。

②会：合，这里指机会。

【译文】

修身，最重要的是保养精神，其次才是保养形体；治理国家，最根本的是施行教化，其次才是严明法令。精神清明，心志平和，全身血脉都安顺，这是养生的根本；肌肤肥胖，嗜欲不断，这是养生的末节。人民互相谦让，争着处在卑下的位置，舍弃厚利争着拿少的，努力工作争辛苦，每天都在变化逐渐走上善道，而不知道这样做的原因，这是治国的最高要求；用利益来激励、劝勉人们向善，使百姓害怕刑罚不敢妄为，上面颁布正确的法令，下面百姓服从，这是治术中的末等。远古时代注重培养根本，末世只注重细枝末节，这就是太平世道难以重现的根本原因。想治理好天下的君王，不是每个时代都会出现的，而能够和君王一起振兴国家的贤臣万众无一，这也就是一千年也难得遇上明君贤臣配合造成治世的原因。

卷二十一　要略

【题解】

要略的意思就是简略地论述要旨，所以本训是全书的纲要。作者在本训表明了：其写作目的是为治国理政提供理论依据；写作原则是把“道”即自然规律与“事”即人类活动相结合；写作动机是要立一家之言。

【原文】

《原道》者，卢牟六合，混沌万物，象太一之容，测窈冥之深，以翔虚无之轸①；托小以苞大，守约以治广，使人知先后之祸福，动静之利害。诚通其志，浩然可以大观矣。欲一言而寤，则尊天而保真；欲再言而通，则贱物而贵身；欲参②言而究，则外物而反情。执其大指，以内洽五藏，瀸濇③肌肤，被服法则，而与之终身，所以应待万方，览耦百变也。若转丸掌中，足以自乐也。

【注释】

①轸：通“畛”，界限。

②参：叁。

③瀸（jiān）：浸润。濇：浸润。

【译文】

《原道》篇，规划了天地四方，探索万物的形成规律，描摹元气的形象，探测大道的深远，翱翔在虚无的境界之内；

虽然精神寄托在小处却能包容广大的世界，持守着简约的道术却能治理广泛，使人们懂得祸福发生的先后次序，也了解了行为举止的利害关系。如果人们确实通达了以上那些旨意，对广博纷繁的事物便可以得到透彻的了解。如果要用一句话来说明其中的道理，那就是尊重天道而保持本真；如果要用第二句话来说明其中的道理，那就是轻视物欲而重视身体；如果再用第三句话来探究其中的道理，那就是抛开外物而返回真情。把握住这些要旨，用他们来调和五脏、浸润肌肤，亲身体验到这个自然的法则，就可以用来对付四面八方千头万绪的事物。观览和适应迎合事物的变化，好比在手中转弄弹丸那样，自己也完全可以得到其中的乐趣。

【原文】

《俶真》者，穷逐终始之化，嬴坪[1]有无之精，离别万物之变，合同死生之形，使人遗物反己。审仁义之间，通同异之理，观至德之统，知变化之纪，说符玄妙之中，通迵[2]造化之母也。

【注释】

①嬴：周密。坪：摩。

②通迵（dòng）：通达。

【译文】

《俶真》篇，透彻地探求自然界起始终结的演化规律，周密把握万物从无到有的精深道理，分辨万物的变化规律，等齐合同生死的形体关系，使人们遗弃外物回归本性。审视仁义的真谛，通晓事物的异同，观察最高的道德领属关系，从中认识流变的法则，解说玄妙的符验现象，通达自然变化的根源。

【原文】

《天文》者，所以和阴阳之气，理日月之光；节开塞之时，列星辰之行；知逆顺之变，避忌讳之殃；顺时运之应，法五神①之常。使人有以仰天承顺，而不乱其常者也。

【注释】

①五神：五星之神。

【译文】

《天文》篇，用来调和阴阳二气的关系，理顺日月光辉的规律；掌握开启闭塞的季节变化，排列星辰的运行轨迹，了解逆行顺行的变化，避开忌讳和灾祸的发生，顺应天时的感应作用，效法五星之神的法则，使人们仰承天道而不乱常规。

【原文】

《地形》者，所以穷南北之修，极东西之广，经山陵之形，区川谷之居，明万物之主，知生类之众，列山渊之数，规远近之路。使人通迴周备，不可动以物，不可惊以怪者也。

【译文】

《地形》篇，是用来探究天地南北的长度，确定东西的宽度，度量山陵的形势，河谷的分布，明确万物的主宰，了解生物繁多的种类，罗列山川的数量，规划道路的远近，使人能通达周详，不可因外物而妄动，不能因为怪物而惊恐。

【原文】

《时则》者，所以上因天时，下尽地力；据度行当，合诸人则①；刑十二节，以为法式；终而复始，转于无极；因循仿依，以知祸福；操舍开塞，各有龙忌②；发号施令，以时教期[3]。使君人者知所以从事。

【注释】

①人则：指人体结构。

②龙忌：鬼神的禁忌。

③期：教。

【译文】

《时则》篇，使人向上依循自然运行的时序，向下充分利用土地的潜力；依据自然法则，行为应与人体构造相合；制定十二个月，作为共同遵循的法则；周而复始，运行无穷；人们因循仿效，就知道福祸产生的规律；掌握取舍开闭的原则，明白各种鬼神禁忌；国君正确地发号施令，按时令特点来教化民众。这样就能使君主知道施政的依据。

【原文】

《览冥》者，所以言至精之通九天也，至微之沦无形也，纯粹之入至清也，昭昭之通冥冥也。乃始揽物引类，览取挢掇[1]，浸想宵类。物之可以喻意象形者，乃以穿通窘滞，决渎壅塞，引人之意，系之无极，乃以明物类之感，同气之应，阴阳之合，形埒之朕[2]，所以令人远观博见者也。

【注释】

①挢（jiǎo）：取。掇：拾取。

②形埒（liè）：界限。朕：形迹。

【译文】

《览冥》篇，是用来说明最精微之气可以上通九天，最微妙的道可以进入无形之中，纯粹的道德可以进入最洁净的境地，光明是可以通向幽暗的。于是总揽万物、引取同类，细密视察相似物类的微妙关系。对其中可以使人理解并能描绘形状的，就可以贯通凝滞，清除障碍，引导人们的思想意识同无穷无尽的事物联系起来，来明了物类因同气而相互感应，阴阳两气相融合，显示出事物界域间的征兆，可以用来使人观察遥远而广博的事情。

【原文】

《精神》者，所以原本人之所由生，而晓寤其形骸九窍，取象与天合同。其血气，与[①]雷霆风雨比类；其喜怒，与昼宵寒暑并明。审死生之分，别同异之迹，节动静之机，以反其性命之宗。所以使人爱养其精神，抚静其魂魄，不以物易己，而坚守虚无之宅者也。

【注释】

①与：如同。

【译文】

《精神》篇，是用来探究人类生命的起源和本质，从而领悟：人体形骸九窍都是仿效自然的。人的血气运行，和自然界的雷霆风雨一样；人的喜怒之情，和昼夜寒暑相似。辨明生死的分别，区分事物的异同，从而控制人的动静行为的要害，以返回性命的根本之处，使人爱惜自己的精神，抚慰他的灵魂，不因外物的诱惑而改变自己的天性，而坚守大地的根本。

【原文】

《本经》者，所以明大圣之德，通维初之道，埒略[①]衰世古今之变，以褒先世之隆盛，而贬末世之曲政也。所以使人黜耳目之聪明，静精神之感动，樽流遁[②]之观，节养性之和，分帝王之操，列小大之差者也。

【注释】

①埒略：列举征兆。

②樽：当作“撙（zǔn）”，节省，节制。流遁：分散。

【译文】

《本经》篇，用来彰显圣人的美好德行，通晓初始之道，列举道德由盛至衰的历史变化，来褒扬古圣先王世道的兴盛，同时贬斥末世的政治弊端。从而使人废除耳目的聪明，安定精神上引起的激动，抑制使人精神逸散的物欲，调节用来养性的中和之气，分清帝王所持的不同操守，罗列操守大小间的区别。

【原文】

《主术》者，君人之事也。所以因作任督责，使群臣各尽其能也。明摄权操柄，以制群下；提名责①实，考之参伍，所以使人主秉数持要，不妄喜怒也。其数直施②而正邪，外③私而立公；使百官条通而辐辏④，各务其业，人致其功。此主术之明也。

【注释】

①提：挈，称引。责：求。

②直施：使邪曲变正直。施（yí）：弯曲。

③外：弃。

④辐辏（fú còu）：车辐聚集于车轴。

【译文】

《主术》篇，说的是君王统治的方法，告诫君主按照百官任职督察责罚，监督他们履行职责，使其各尽其能。说明君王要总揽权力以驾驭臣下；抓住他们的职责，要求完成本职工作，做到名实相副，并且互相参照考核，以使君王掌握臣下的术数要领，不至于随便显露自己的情绪。这种术数就是要使邪曲变得正直，排除私欲而树立公道，使百官有条不紊地聚集在君王身边，各尽其职，人人都能建功立业，这就是君王统治术的聪明之处。

【原文】

《缪称》者，破碎道德之论，差次仁义之分，略杂人间之事，总同乎神明之德。假象取耦[①]，以相譬喻；断短为节，以应小具。所以曲说攻[②]论，应感而不匮者也。

【注释】

①假：借。耦：通“隅”，角落。

②攻：通“工”，细密。

【译文】

《缪称》篇，剖析了关于道德的理论，区分了仁义的等次，稍微掺加了人世间的事情，最终归总到变化莫测的大道之中。借助各种现象选取个别事例来打比方，就像竹子条分缕析，以适应小的需求一样。这样来周密细致地论证，感通对外而不至于缺乏知识储备。

【原文】

《齐俗》者，所以一群生之短修，同九夷之风气，通古今之论，贯万物之理，财制礼义之宜，擘画[①]人事之终始者也。

【注释】

①擘画：规划。

【译文】

《齐俗》篇，是用来齐同众生之长短、九夷之习俗，沟通古今不同的论述，贯通万物生长的规律，裁制礼义适宜不同的内容和地区，从而规划人世间事情的始终。

【原文】

《道应》者，揽掇遂事之踪，追观往古之迹，察祸福利害之反，考验乎老、庄之术，而以合得失之势者也。

【译文】

《道应》篇，收集以往成功的事，追溯回顾古人走过的路，考察祸福利害关系的正反比关系，与老子、庄子的学说相印证，以趋就得失变化的形势。

【原文】

《氾论》者，所以箴缕缭绦[1]之间，攕揳唲齵之郄[2]也。接径直施[3]，以推本朴，而兆见得失之变，利病之反，所以使人不妄没于势利，不诱惑于事态，有符曮晲[4]，兼稽时势之变，而与化推移者也。

【注释】

①箴：针。缕：丝线，这里指缝补。缭绦（cài shǎi）：衣物破，这里泛指缝隙，破绽。

②攕（jiān）：通“櫼”，楔子。揳（xiē）：通“楔”，塞。唲齵（ér óu）：牙齿参差歪斜不齐。郄（xì）：同“郤”，孔隙。

③接径：捷径。直施（yí）：使歪斜变为正直。

④有：又。曮晲（yǎn nǐ）：日行的轨道，这里借指天道。

【译文】

《氾论》篇，就像把针线穿插在人们思想上的缝隙，填补心灵上的不足。将弯路变成笔直的捷径，以便推论事物的本原，从而预见得失的变化、利弊的转化，这样使人不至于淹没在势利中，不被事态的变化所迷惑，既能符合天道运行的规律，又能适应时势，从而与自然一同变迁。

【原文】

《诠言》者，所以譬类人事之指，解喻治乱之体也；差择[①]微言之眇，诠以至理之文，而补缝过失之阙者也。

【注释】

①差（chāi）择：选择。

【译文】

《诠言》篇，通过比类人世间事情的要旨，剖析解说国家治理混乱的本原；选择比较微妙的言论，用最根本的道理加以说明，从而弥补政治治理上的过失。

【原文】

《兵略》者，所以明战胜攻取之数，形机之势，诈谲之变，体因循之道，操持后之论也。所以知战阵分争之非道不行也，知攻取坚守之非德不强也。诚明其意，进退左右无所失击危[①]，乘势以为资，清静以为常，避实就虚，若驱群羊。此所以言兵也。

【注释】

①失：王念孙认为“失”为衍文。击危：指挂碍。击，通“系”。危，通“诡”。

【译文】

《兵略》篇，用来阐明战必获胜、攻必夺取的术数和战争形势的机变、诡诈的手段，体察军事斗争的规律，把握后发制人的策略。以用来表明战争的胜负没有大道是行不通的，攻取没有德性是不能强大的。如果能明白上述意思，就能进退自如，无所挂碍，趁着有利的时机作为凭借，持守清静之法，避实击虚，使驾驭战争如同驱赶羊群一样。这就是所说的用兵问题。

【原文】

《说山》《说林》者，所以窍窕穿凿百事之壅遏，而通行贯扃万物之窒塞者也。假譬取象，异类殊形，以领理人之意，解墮结纽，说捍抟囷[1]，而以明事埒事者也。

【注释】

①说：通“脱”。捍，通“释”，解开。抟囷：卷束。

【译文】

《说山》和《说林》两篇，旨在凿通各种事物的阻塞之处，从而使万物的障碍贯通无阻。两篇借用譬喻，联系不同的种类和个别的形体，来引导人们的思想意识，解开其中的疑团和死结，阐明事物变化的征兆。

【原文】

《人间》者，所以观祸福之变，察利害之反，钻脉得失之迹，标举终始之坛[1]也。分别百事之微，敷陈存亡之机，使人知祸之为福，亡之为得，成之为败，利之为害也。诚喻至意，则有以倾侧偃仰世俗之间，而无伤乎谗贼螫毒者也。

【注释】

①标举：揭示。坛，通“嬗”，演变。

【译文】

《人间》篇，观察了祸福的变化，考察了利害的正反演变，研究了得失的变化，揭示了事物的更替关系。辨析了万事万物的隐微之处，还陈述了存亡的关键，让人们知道坏事可以变成好事，失去可以转变成得到，成功可以转成失败，有利可以转成有害的道理。如果人们真能明白这些道理，那么就有能力周旋俯仰于世俗之间，而不会被谗佞之人所毒害。

【原文】

《修务》者，所以为人之于道未淹[1]，味论未深，见其文辞，反之以清静为常，恬淡为本，则懈堕分学[2]，纵欲适情，欲以偷自佚，而塞于大道也。今夫狂者无忧，圣人亦无忧。圣人无忧，和以德也；狂者无忧，不知祸福也。故通而无为也，与塞而无为也同，其无为则同，其所以无为则异。故为之浮称流说[3]，其所以能听，所以使学者孳孳以自几[4]也。

【注释】

①淹：精通。

②分学：脱离学习。

③浮称流说：浅显的解说。

④孳孳：同“孜孜”。几：接近（大道）。

【译文】

《修务》篇，谈到社会中的人对大道一知半解、体悟未深的道的深解；只是望文生义，就会误把清静无为当作常规，把恬淡无欲当作根本，那么就会松懈堕落而放弃学习，放纵自己的欲念，只求舒服，得过且过，对大道的真谛一无所知。现在那些狂人和圣人也是一样没有忧虑，但圣人没有忧虑是因为用道德来协调，而疯子无忧无虑是不知道福祸的发生。所以说通达大道的无为和不懂大道而无为看似相同，实际上二者的原因和方式是完全不同的。这就是对有些人称说的没有依据的言论，他们能够听从的原因，所以本篇用了深入浅出的解说来使人们理解接受，使人们在学习上孜孜不倦，自己也就差不多达到要求了。

【原文】

《泰族》者，横八极，致高崇，上明三光，下和水土，经古今之道，治伦理之序，总万方之指，而归之一本，以经纬治道，纪纲王事。乃原心术，理性情，以馆清平之灵，澄彻神明之精，以与天和相婴薄。所以览五帝三王，怀天气，抱天心，执中含和，德形于内，以莙凝[①]天地，发起阴阳，序四时，正流方[②]，绥之斯[③]宁，推之斯行，乃以陶冶万物，游化群生。唱而和，动而随，四海之内，一心同归。故景星[④]见，祥风至，黄龙下，凤巢列树，麟止郊野。德不内形，而行其法籍，用其制度，神祇弗应，福祥不归，四海不宾，兆民弗化。故德形于内，治之大本。此《鸿烈》之《泰族》也。

【注释】

①莙（jūn）凝：凝结。

②流方：各种物类。

③绥：安抚。斯：则。

④景星：预兆祥瑞的星。

【译文】

《泰族》篇，论述了大道的横贯八极、上达至高，在上面能使日月星辰发出光明，在下面使水土和顺安宁，理清古今之道的规律，安排着社会伦理的次序，概括了万物的旨意，从而归结到道的本原上，以便筹划治国之道，经营政治大业。于是探索思想的本原和意识的源流，以容纳清净平和的灵魂，使圣明的精神澄澈而透彻，以便能与自然祥和之气相融合。所以观览五帝三王的功业，他们怀抱自然之气，秉受自然之旨，持守着中和的本性，使道德修持于内心，凝结于天地之间，发起阴阳二气，使四季井然有序，物类运行正常，用它来安抚天下就会安宁，推动它就能得到实施，于是化育万物、感化群生。君王倡导，万民应和；君王行动，百姓跟随；四海之内，万众一心。因此福星高照，吉祥之风来临，黄龙随之降下，凤凰筑巢于树，麒麟止于城郊。如果大德没有在内心形成，只是凭借着法律、制度，天地之神便不会响应，福瑞不可能降临，四海不会宾服，万民也不会归顺。所以道德修持于内心，是治理好天下的根本条件。以上就是《鸿烈》中《泰族》篇所要表达的内容。

【原文】

凡属书者，所以窥道开塞，庶后世使知举错[①]取舍之宜适，外与物接而不眩，内有以处神养气，宴炀[②]至和，而己自乐所受乎天地者也。故言道而不明终始，则不知所仿依；言终始而不明天地四时，则不知所避讳；言天地四时而不引譬援类，则不知精微；言至精而不原人之神气，则不知养生之机；原人情而不言大圣之德，则不知五行之差；言帝道而不言君事，则不知小大之衰；言君事而不为称喻，则不知动静之宜；言称喻而不言俗变，则不知合同大指；已言俗变而不言往事，则不知道德之应；知道德而不知世曲，则无以耦万方；知氾论而不知诠言，则无以从容；通书文而不知兵指，则无以应卒；已知大略而不知譬喻，则无以推明事；知公道而不知人间，则无以应祸福；知人间而不知修务，则无以使学者劝力。欲强省其辞，览总其要，弗曲行区入[③]，则不足以穷道德之意。故著书二十篇，则天地之理究矣，人间之事接矣，帝王之道备矣。

【注释】

①错：通“措”。

②宴：平。炀：通“荡”，平易。

③曲行区入：指《淮南子》婉转曲折、反复详尽的叙述方法。

【译文】

大凡著书立说的目的，是用来观察大道的开启和闭藏，希望后世知道举止取舍怎样才合宜，与外物接触而不至于迷惑，对内要学会颐养元气、平易祥和，从而使自己禀受自然的本性而得到快乐。所以只论大道而不明白事物的始终变化，就不知道效仿的对象是什么；只谈论事物的发展而不明白天文、地理和四季，就无法知道怎样避开忌讳；只讲述天地四时而不加以类比譬喻，就无法知道事物间的精妙；只叙述事物间精妙的现象而不探索人的神气发生的原因，就无法掌握养生的秘诀；只推究人之常情而不谈论伟大的道德，就不知道五种行为中还存在着偏差；只论述帝王之道而不阐述治国之术，便不知道大小的等次；只叙述君王治国之术而不引证譬喻，便不知道动静的适度；已经引证了譬喻而不谈论世俗的变迁，就无法指导事物的大要；只谈世俗的变迁而不谈以往的事情，就无法知道道德对应的变化；只懂得道德而不知世事的曲折，就不了解各种变故；只知道广泛叙述而不详加阐述微妙之言，就无法做到从容不迫；只通晓典籍文书而不知用兵之方，就无法应对突发的变故；只知道大概要旨而不会譬喻，就无法真正理解事理；只知道一些大道理却不懂人间曲直，就无法应付祸福之变；只知道人间祸福而不知修业务实，就无法使人勤奋努力。如果想勉强省略言辞、篇幅，只是概述要旨，而不婉转曲折地叙述，就不能穷尽道德的意蕴。所以，著书二十篇使天地之理得以探究，人间万事得以联系，帝王之道得以完备。